UNA CHICA
ENTRA EN UN BAR

Elige tu propia aventura... *hot!*

Paige

Una chica
entra en un bar

Mis fantasías, yo decido

Traducción de Ada Francis Castro

Argentina • Chile • Colombia • España
Estados Unidos • México • Perú • Uruguay • Venezuela

Título original: *A Girl Walks Into a Bar*
Editor original: Sphere, an imprint of Little, Brown Book Group, Londres
Traducción: Ada Francis Castro

1.ª edición Octubre 2013

Copyright © Sarah Lotz, Helen Moffett, Paige Nick 2013
All Rights Reserved
© de la traducción 2013 *by* Ada Francis Castro
© 2013 *by* Ediciones Urano, S.A.
  Aribau, 142, pral. – 08036 Barcelona
  www.sombraseditores.com

ISBN: 978-84-15955-03-0
E-ISBN: 978-84-9944-618-9
Depósito legal: B-18.827-2013

Fotocomposición: Ediciones Urano, S.A.
Impreso por Romanyà Valls, S.A. – Verdaguer, 1
08786 Capellades (Barcelona)

Impreso en España – *Printed in Spain*

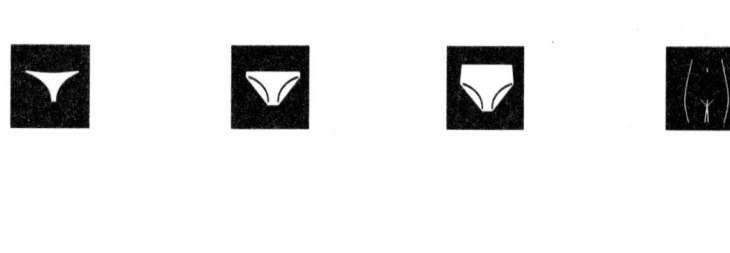

Una chica entra en un bar

Todas las mujeres sabemos que no se puede esperar mucho de unas bragas. Si lo que quieres es sentirte realmente sexy, no esperes ir cómoda precisamente. Si lo que buscas es sentirte cómoda, lo más probable es que no lleves puesto nada especialmente bonito ni glamuroso. Si lo que necesitas es sujeción adicional, encontrarás una buena amiga en tus bragas-faja, aunque vete olvidando de poder respirar con facilidad.

Deja caer tu toalla de baño al suelo, inclínate a buscar en el cajón de la ropa interior y contempla tus opciones. Tu mejor amiga Melissa y tú habéis estado amenazando con salir a divertiros a lo grande, y todo parece indicar que ésta va a ser una noche inolvidable. Ahí tienes el tanga de encaje violeta ridículamente caro, con la cinta de seda entretejida en los bordes. Acaricias con los dedos una de las cintas aterciopeladas sintiéndote un poco nostálgica. Hace siglos que no te pones lencería sexy.

Al lado del tanga están tus bragas favoritas: las más cómodas. El elástico ya no es tan tirante como antes y, de tanto lavarlas, se han desteñido un poco, pero, a decir verdad, eso es lo que tanto te gusta de ellas.

Instintivamente, metes barriga cuando tiendes la mano hacia las bragas-faja. Cuando te las pones, te sientes como si te hubieras metido en la piel de una salchicha, pero al menos con ellas consigues tener un vientre liso. Pero ¿y si esta noche estás de suerte? Vas a necesitar un abrelatas para salir de ellas, y eso no tiene nada de sexy. Se te ocurre entonces que quizá podrías salir a pelo. Sonríes levemente al pensarlo. No lo has hecho nunca. ¿No sería acaso increíblemente sexy ser la única que sabe que no llevas nada debajo del vestido?

 Si eliges el tanga de encaje violeta, ve a la página 3

 Si eliges las bragas cómodas, ve a la página 4

 Si eliges las bragas-faja, ve a la página 5

 Si eliges ir a pelo, ve a la página 7

Has elegido el tanga de encaje violeta

Te das un último retoque al maquillaje en el espejo y te apartas luego para evaluar el resultado. Has estado tan hasta arriba de trabajo que hacía siglos que no te arreglabas así y habías olvidado lo divertido que puede llegar a ser. El vestidito negro con el generoso escote ensalza tus curvas, y llevas puestos tus zapatos de tacón favoritos, sí, con los que tienes las pantorrillas y la altura de una diosa. Te satisface lo que ves: el tanga violeta ha sido, sin duda, la elección correcta. Quién sabe, quizás está noche sea el principio del fin de tu larga travesía por el desierto. Puede que te sonría la suerte. Eso si estás de suerte, claro.

 Ve a la página 8

Has elegido las bragas cómodas

Te miras al espejo. El vestidito negro con los zapatos negros de tacón es una buena elección. Esta noche te sientes muy sexy por primera vez desde hace siglos. Te vuelves para echar un vistazo a la parte trasera del vestido y, horrorizada, ves que las bragas de abuela se marcan bajo la suave tela. No, ni hablar. Te las quitas de inmediato y durante un instante te planteas salir a pelo...

 Si eliges ir a pelo, ve a la página 7

Pero finalmente decides que mejor no. Demasiado aireada para tu gusto. En vez de eso, vuelves a abrir el cajón y sacas el tanga de encaje violeta. Te lo pones, con cuidado de no desgarrarlo con uno de los tacones.

 Ve a la página 3

Has elegido las bragas-faja

Tienes que tumbarte en la cama para ponerte las bragas-faja. ¿Quién las habrá inventado? Obviamente, algún sádico al que no le gustan demasiado las mujeres. Y ¿de qué están hechas? ¿Del mismo tejido que utilizan para fabricar naves espaciales? Vuelves a inspirar hondo, contienes la respiración, y consigues subírtelas por encima de los muslos.

Justo antes de morir asfixiada, logras por fin tirar de ellas hasta cubrirte la tripa. Al tiempo que te secas una gota de sudor de la cara, te pones de pie y te miras al espejo. La parte buena es que tienes el vientre plano. La mala es que estás un poco mareada, que quizá te hayas fracturado una costilla y que igual no puedes sentarte en toda la noche.

¿Quién dijo que para presumir hay que sufrir? O la faja o yo. Con la ayuda de unas tijeras te liberas a tijeretazos de la camisa de fuerza de licra, soltando un profundo suspiro de alivio.

Entonces coges el tanga de encaje violeta y te lo pones. Después de la licra de resistencia industrial, el tacto del encaje es suave como las plumas. Contienes la respiración al mirarte al espejo, y lo que ves ejerce sobre ti el mismo efecto que las sádicas bragas, aunque sin cortarte la circulación. Mientras coges el bolso, se te ocurre que simplemente tendrás que acordarte de meter tripa cada vez que alguien te mire.

 Ve a la página 3

Has elegido ir a pelo

Vas a la cocina a servirte una copa de vino, contoneando las caderas. Te resulta extraño no llevar bragas. La fricción de tus muslos presionándose entre sí al caminar es una sensación agradable. De hecho, cada paso que das te excita un poco más. Nunca habías sido tan consciente de tu sexo. Piensas que así es como se sienten los hombres: tu sexualidad te recuerda que está ahí con cada uno de tus movimientos.

Vuelves a tu habitación con la copa en la mano. Ese corto trayecto ha conseguido que el calor fluya por tu cuerpo. «Es demasiado», piensas. A este paso, no llegarás al bar. Decides entonces que necesitas algo entre tu vestido y tú o no podrás mirar a nadie a los ojos sin sonrojarte a lo bestia. Coges el minúsculo tanga violeta; es lo más parecido a ir desnuda.

 Ve a la página 3

Llegas al bar

Te ves obligada a parpadear varias veces hasta que tus ojos se adaptan a la penumbra que reina en el bar. La música de fondo es sutil. Sin embargo, sientes el rítmico latido en el pecho, junto con un agradable estremecimiento de expectación. Has estado tan centrada en el trabajo que ha pasado mucho tiempo desde la última vez que saliste a divertirte. Y esta noche estás decidida a pasarlo en grande.

Es la primera vez que vienes a este sitio. Este garito elegante y frecuentado por famosos ha sido idea de Melissa, tu mejor amiga, y, al llegar, echas un vistazo alrededor con la esperanza de verla. Una larga barra de caoba ocupa todo un lado de la sala, y varios grupos de clientes elegantemente vestidos se ríen, sentados alrededor de las mesas y recostados en los reservados. Hay una zona de acceso restringido protegida por una cuerda al fondo, con un gorila que te recuerda a Conan el Bárbaro plantado delante. Debe de ser la zona VIP. No hay la menor posibilidad de que te dejen entrar ahí, piensas.

Recorres el bar con la mirada, pero ni rastro de Melissa, así que echas un vistazo a las mesas. No puedes evitar fijarte en un hombre guapísimo que está sentado en uno de los reservados del rincón. Charla muy concentrado con otro tipo, pero hay en él algo que te llama la atención. Es evidente que te lleva algunos años, pero le saca partido a su edad gracias a que se da un aire a George Clooney. El hombre levanta la vista y su intensa mirada capta la tuya, como si hubiera percibido tu atención. Te sonrojas y finges echar un vistazo a tu reloj, tanto para comprobar la hora como para tener una excusa y así dejar de mirarlo. Son las ocho y cinco. Has sido puntual. ¿Dónde demonios se ha metido Melissa?

Vuelves a pasear tu mirada por la sala con detenimiento antes de dirigirte a la barra y sentarte en un taburete, de espaldas al señor Intenso. Te estremeces... Casi puedes sentir la presión de su mirada en la espalda.

—Hola, ¿qué te pongo? —pregunta el barman.

Levantas la vista, perpleja al ver lo atractivo que es, a pesar de que nadie diría que tiene la edad suficiente para estar sirviendo alcohol. Tiene la piel perfecta y de una tonalidad que resalta con el pelo y los ojos de color café. Lleva unos vaqueros y una sencilla camisa blanca y sonríe dulcemente, un poco vacilante, mientras retira de encima de la barra una lata vacía que está a tu lado. Luego, con un movimiento suave, se vuelve de espaldas y la arroja al cubo de la basura, acertando a la primera. Lleva las mangas de la camisa de algodón blanco enrolladas, dejando a la vista unos brazos esculpidos. No puedes evitar preguntarte qué edad tiene: veintiuno, quizá veintidós. Mmm. Podrías enseñarle un par de cosas.

No estás segura de qué pedir. Bueno, esto es un garito de famosos. ¿Champán? ¿Un cóctel? ¿Un martini? Entonces te acuerdas de una escena que viste en una película.

—Una copa de *prosecco**, por favor —pides, con la esperanza de haberlo pronunciado correctamente.

El barman se aparta el pelo de los ojos y te dedica de nuevo su sonrisa dulce y un poco tímida. Te desarma por segunda vez.

—Marchando. —Tiende la mano hacia las copas de champán. Se le levanta la camisa y dispones entonces de una vista perfecta de su estómago liso y musculado. Una oscura línea de vello sedoso baja desde su ombligo hasta el botón de los vaqueros. No puedes evitarlo: se te hace un poco agua la boca. ¿Dónde está Melissa? Tiene que ver esto. «Este bar es una buena elección», le dirás. Te cruzas de piernas y las juntas con fuerza.

Te vibra el móvil en la mano, sobresaltándote. Es un SMS de Melissa:

Sigo en el trabajo. Maldito Jefe me ha puesto un plazo de entrega de espanto. ¡Lo siento! Menudo chasco no poder ir. ☹ ¡Diviértete por mí! ☺

---

* El *prosecco* es un vino blanco italiano, generalmente espumoso seco o extraseco. *(N. de la T.)*

Se te encoge el corazón. Y ¿ahora qué? Apagas el teléfono pulsándolo con fuerza con el pulgar. Tú tan elegante y sin ningún sitio adonde ir. Ya te lo podía haber dicho antes. ¿Cuándo aprenderá Melissa a decir «no» a ese cabrón controlador que tiene de jefe?

Ni siquiera estás segura de que te siga apeteciendo tomar algo, pero el barman está ya abriendo con destreza una botella de *prosecco*. Sirve una copa, sosteniéndola inclinada, te la pone delante con otra sonrisa tímida, y te animas un poco. Te preguntas cómo sería pasarle el pulgar por la línea de esos labios carnosos y tentadoramente besables. Le devuelves la sonrisa y sacas el monedero para pagarle.

—No, no es necesario —dice.

¿Intenta acaso tirarte los tejos? Cuando estás a punto de darle las gracias, el chico señala al extremo más alejado del bar con una expresión de disculpa en la cara.

—Te invita el tipo que está allí.

Echas un vistazo a tu admirador. Viste una camisa chillona desabrochada hasta media tripa y tiene más pelo en el pecho que en la cabeza. Una gruesa cadena de oro anida en el arbusto situado sobre los albores de una prominente panza. Se mete un mondadientes en la boca, se levanta y se acerca a ti balanceándose. Quizá, si no le miras a los ojos, el cliché con patas pillará el mensaje... Pero no, no hay suerte.

—Hola, cariño —dice, moviendo el palillo con la lengua de un lado a otro de la boca—. ¿Está ocupado este asiento? —Se instala sin miramientos a tu lado antes de que tengas tiempo de responder—. Soy Stanley Glenn —se presenta, como si esperara que reconocieras el nombre.

Se le escapa un eructo y el olor a ajo te llega en una bocanada. Te apartas todo lo que puedes, pero no hay escapatoria posible.

—Disculpa, pero los gases mejor dejarlos salir que retenerlos dentro, ¿no? Es lo que siempre digo. —Levanta las manos, te apunta con los dedos y te dispara con ellos, acompañando el gesto con un guiño y chasqueando dos veces la lengua.

Tu primera reacción es decirle a él y a la peluca que lleva en el pecho que desaparezcan, pero sería una grosería y no quieres montar una escena. Sin embargo, te mueves en el taburete de modo que puedas darle un rodillazo en las pelotas si se te acerca más con ese aliento letal. Cuando estás a punto de rechazar educadamente la copa, sientes una mano en el hombro. Asustada, te vuelves y te encuentras con un hombre que está de pie justo detrás de ti. Lo reconoces de inmediato. Es el tipo con el que intercambiaste una mirada al llegar al bar.

—Hola, cariño. Perdona por el retraso —dice, inclinándose hacia delante y besándote en la mejilla. Contienes el aliento por la inesperada cercanía. Huele a cedro y a cuero, y así, de cerca, le ves el pelo sexy y entrecano de las sienes y las patas de gallo que se le forman junto a los ojos cuando sonríe.

Rodeándote despreocupado el hombro con un brazo, le tiende la mano a Stanley.

—Muchas gracias por haberle hecho compañía. Me he retrasado un poco. Ya sabe cómo son los negocios.

Consciente de estar aprovechándote descaradamente de la situación, te inclinas un poco hacia atrás contra el brazo de tu rescatador. Pecho Peluca masculla algo y se levanta. Mientras ellos dos se dan la mano, ves que Stanley se estremece. El mondadientes desaparece y te preguntas si se lo habrá tragado. Por fin, Pecho Peluca se retira y desaparece de tu vista con la cara morada.

—Hola, soy Miles —se presenta tu nuevo amigo, quitándote el brazo del hombro.

—Y yo te estoy agradecida —dices, sintiendo que la piel todavía te hormiguea allí donde te ha tocado.

—Espero no haber sido demasiado presuntuoso.

—Podría habérmelas arreglado sola —aseguras con una sonrisa—, pero gracias por la ayuda.

—No me cabe duda de que, si hubieras querido, podrías haberlo despachado con una simple mirada —dice—. Pero necesitaba una excusa para venir y presentarme. —Eso suena prometedor, y, cuando estás a punto de ofrecerle una copa, él vuelve a hablar—: Me ha encantado conocerte, pero será mejor que vuelva con mi colega. Estamos cerrando un negocio.

—Ah, bien. —No quieres que se vaya, pero no sabes cómo pedirle que se quede—. Gracias otra vez.

—Ha sido un placer. —Te mira durante otro segundo interminable antes de volverse para regresar a su mesa. No lo pierdes de vista mientras se aleja. Lleva unos pantalones de corte exquisito y una camisa de rayas azules casi invisibles con el cuello abierto. Elegante y sin duda nada barata. El hombre se vuelve, te pilla mirándolo y levanta la mano, saludándote. Tú le devuelves la sonrisa y te vuelves hacia tu vino espumoso para tomar un buen sorbo. Tienes la boca seca.

—¿Otra? —pregunta el joven barman cuando has vaciado la copa.

Los vinos espumosos son deliciosos, pero tienes sed, así que pides un Perrier.

—*Prosecco*, Perrier… Estás de un humor mediterráneo —dice el barman, sorprendiéndote con el comentario. No es una charla típica de un barman con una clienta, y lo miras con más atención. Incluso en penumbra y bajo la luz artificial, su piel resplandece.

—Y ¿qué hace un tío agradable como tú en un lugar como éste? —preguntas, sintiéndote un poco coqueta… por culpa del *prosecco*.

—Sustituyendo a mi primo. El barman es él. El dinero ayuda. Los libros de texto son caros.

—Ah, ¿eres estudiante?

—Sí, y, por favor, no me preguntes qué estudio…

—Vale, tampoco pensaba hacerlo. Pero ahora me has picado la curiosidad.

El chico parece un poco avergonzado.

—Filosofía de la religión. Me estoy especializando en religiones orientales.

—¿En serio? Me imagino que eso no te ofrecerá muchas opciones profesionales.

Se pone serio durante un instante.

—Te sorprendería. Me gustaría trabajar en el campo de las misiones de paz internacionales, y quizá terminar en Naciones Unidas. Viajar por el mundo, vamos.

Interesante. Cada vez más. La cara de un ángel, el cuerpo de pecador y ¿además con cerebro? Y encima quiere la paz mundial.

Le dedicas una sonrisa lenta y prometedora. Dirán que eres una asaltacunas, pero estás tentada de seguir con esto un poco más. Pero antes será mejor que vayas al baño. Si vas a flirtear con un veinteañero realmente guapo, más vale que te retoques el maquillaje.

* * *

El baño es un oasis de calma suavemente iluminado. Sólo hay una mujer dentro, además de ti, y está ocupada maquillándose frente al espejo.

Es, sin duda, una de las mujeres de aspecto más espectacular que has visto en tu vida. Tiene un pelo lustroso recogido en lo alto de la cabeza, con grandes bucles sujetos con una peineta de coral. Las cejas casi se le juntan sobre la nariz y tiene un lunar en la parte baja de la mejilla. Lleva una falda larga que le cuelga de las caderas y cuya tela de color joya atrapa la luz. Sin duda es una prenda *vintage*, quizás incluso de Valentino. La mujer desvía la mirada de lo que está haciendo y te estudia en el espejo antes de sonreír, como si le gustara lo que ve. No puedes evitar fijarte en sus pechos, ensalzados por un top de encaje ajustado: o bien son inmunes a la gravedad o lleva puesto el sujetador de diseño más caro que conoce la condición femenina.

A la luz de su reposada mirada, te sientes un poco desdibujada con tu vestidito negro, como una paloma que se ha metido por error en la jaula de los pavos reales.

—Disculpa, estoy acaparando el espejo —se excusa. Hay en su voz un ligero gruñido, ¿o se trata quizá de un leve acento?

—No, no te preocupes, voy a usar el retrete —contestas, sintiéndote incómoda frente a su elegancia y serenidad. Ella vuelve a sonreírte, y tú huyes, metiéndote en uno de los cubículos con el corazón acelerado. No puedes quitarte ese lunar de la cabeza.

Cuando terminas, te lavas las manos y te reúnes con ella delante del espejo para retocarte el maquillaje. Se te ha emborronado el lápiz de ojos y no te iría mal un poco de pintalabios.

—Me encanta tu pelo —comenta mientras tú buscas un peine en el bolso.

—Gracias —dices, llevándote una mano a la cabeza en un gesto tímido—. Curiosamente, yo mataría por tener un pelo como el tuyo.

—¿No es eso lo que siempre pasa? —pregunta—. Siempre queremos lo que no tenemos. —Te aguanta la mirada durante un instante demasiado prolongado, y te asombra verte de pronto imaginándote pasándole la lengua por el lunar. ¿A qué ha venido eso?

—Espera, tienes un poco de... Un momento, deja que... —dice, y, volviéndose hacia ti, te sujeta la barbilla con firmeza y, con una servilleta de papel, te limpia el lápiz de ojos emborronado debajo de los ojos. Tiene su rostro tan cerca del tuyo que apenas puedes respirar, pero eres hiperconsciente de su perfume, una exótica mezcla de especias.

Entonces ella busca en su bolso un lápiz de ojos y una de esas pequeñas paletas con distintas sombras de colores. La sostiene delante de ti.

—No te importa, ¿verdad? Cierra los ojos.

Sin saber con exactitud lo que espera de ti, haces lo que te pide. Te estremeces un poco cuando te pasa el lápiz de ojos por el borde de los párpados y usa luego la yema del dedo para retocarlo un poco. A continuación, repite el proceso, esta vez con una sombra de ojos de color pizarra y un resaltador que contrasta con ella, mezclando delicadamente el fino polvo sobre tus párpados y siguiendo sobre la zona superior del pómulo. El contacto con tu piel es increíblemente suave y estás empezando a sentirte un poco mareada.

Cuando aparta la mano, eres presa de una punzada de pesar.

—Ya está —dice—. Eres una belleza, chica —añade, señalando al espejo.

Te vuelves a mirarte. Gracias a tus nuevos párpados de color ahumado, tus ojos parecen mucho más grandes de lo que son. Es, sin duda, una enorme mejoría con respecto a tus esfuerzos de aficionada. Te preguntas entonces si tu misteriosa amiga es modelo.

—Me ha parecido que eras la clase de mujer que lo valoraría. Toma. —Alarga el brazo, adornado con un montón de pulseras de plata, y cierra tus dedos sobre un trozo de papel doblado—. Encantada de conocerte. Espero que vengas —dice, al tiempo que coge el bolso y se dirige a la puerta del baño, contoneando ostensiblemente las caderas.

—Gracias por maquillarme los ojos —dices, un instante demasiado tarde.

En cuanto se va, desdoblas el papel que te ha colado en la mano. Es un anuncio de una exposición de una galería cercana. La imagen es un retrato muy detallado de un rostro de mujer, y te das cuenta de que en realidad es ella mirando al frente, desafiándote con esos fabulosos ojos. Pasas el dedo por la palabra «Immaculata» que figura en la parte inferior de la página. ¿Será ése su nombre? ¿El nombre de la exposición? ¿Será ella la artista?

Te metes el folleto en el bolso y sales al bar, pero no hay ni rastro de ella. Debe de haberse marchado.

Vuelves a tu taburete, un poco triste. Te sientes desprotegida, elegantemente vestida y sin nadie con quien hablar. El guapísimo barman atiende a un ruidoso grupo en la otra punta de la barra, y el tipo intenso al que has conocido hace un rato sigue charlando concentrado con su colega. Podrías quedarte y tomarte una última copa. O siempre está la opción de la exposición... Seguro que al menos allí servirán canapés.

Si decides quedarte en el bar, tomarte otra copa y ver qué pasa, ve a la página 21

 Si decides ir a la galería a ver la exposición, ve a la página 61

Has decidido quedarte en el bar, tomarte otra copa y ver qué pasa

El barman con cara angelical vuelve hacia donde tú estás con la botella de Perrier que ya ni recuerdas haber pedido. Le das las gracias y le envías un mensaje a Melissa en el que le dices que te debe una por haberte dejado plantada.

—Disculpe —dice una voz muy profunda. Levantas la mirada de la pantalla del móvil y te encuentras con un hombre como un árbol inmenso. Debe de medir al menos dos metros y, como poco, es la mitad de ancho que eso. Lleva un traje negro y un pequeño cable conectado a un audífono insertado en el oído.

—No sé si se ha dado cuenta, pero están aquí los Space Cowboys. —Señala con el pulgar por encima del hombro hacia la zona VIP.

—¿Ah, sí? —preguntas, volviéndote de espaldas sobre el taburete y estirando el cuello para ver. El séquito debe de haber llegado mientras estabas en el baño, y ahora la zona VIP está abarrotada. Dos camareras van hacia allí con cubiteras de champán, y otro gorila segurata hace guardia a este lado de los cordones de seguridad, asegurándose de que sólo tenga acceso la gente más importante o más guapa. Alcanzas a ver a Jerry, el cantante, que lleva a dos chicas altas que parecen modelos colgadas de los hombros. Ese tipo lleva rubias como quien lleva una chaqueta.

—Sí —contesta el guardaespaldas—. Charlie me ha pedido que venga a invitarla a la zona VIP para tomar una copa con él.

—¿En serio? —Estás atónita. Deben de ser los ojos que te ha pintado la mujer del cuarto de baño. Si vuelves a verla, tienes que acordarte de darle las gracias—. Es el batería, ¿verdad? —preguntas, mirando a la zona VIP para ver si puedes verlo. Sí, ahí está, sentado en un sofá de cuero junto al guitarrista, cuyo nombre no recuerdas. Cruzáis una miradita, él sonríe y levanta la mano.

Te sientas muy tiesa y alargas la mano hacia tu Perrier, lamentando no tener nada más fuerte.

—Me siento muy halagada —dices—, pero dile a Charlie de los Space Cowboys que, si quiere que me tome algo con él, ya puede mover el culo y bajar al mundo real con la plebe para pedírmelo en persona, en vez de mandar a su guardaespaldas a que le haga el trabajo sucio. ¡No te lo tomes a mal! —añades rápidamente al elefante de la sala.

—No te preocupes —dice el hombretón, y te parece detectar una pequeña sonrisa en las comisuras de sus labios—. Pero ¿sabes quién es, verdad?

—Por mí, como si es el jodido príncipe Guillermo —respondes—. Dile que, si quiere, ya sabe dónde encontrarme. —Te inclinas luego hasta sortear al gigante, vuelves a cruzar una mirada con Charlie, en la otra punta de la sala, esbozas tu sonrisa más malvadamente sexy y levantas tu copa como haciendo un brindis.

—De acuerdo —dice el hombre montaña, esta vez con una incontestable sonrisa.

Te vuelves de cara a la barra, con un ligero temblor en las manos.

La zona VIP se refleja en el espejo que está detrás de la barra, y, si giras un poco la cabeza, alcanzas a ver lo que allí ocurre. Ves cómo el segurata regresa hasta allí y se inclina a susurrarle algo al oído al batería. Al principio, éste arquea las cejas; luego parece atónito, y después te mira. Tú actúas como si aquello no fuera contigo, pero te aseguras de estar sentada muy tiesa y con la tripa metida. Charlie se echa hacia atrás y rompe a reír. Segundos más tarde, se levanta del sofá de cuero y tu estómago hace una voltereta hacia atrás al ver cómo su reflejo sale de la zona VIP y avanza hacia el bar. Se acerca a ti. Será mejor que practiques tu cara de sorprendida.

La mayoría de la gente prefiere a los cantantes de los grupos, pero hay algo en los baterías que siempre te ha llamado la atención. Puede que sea porque suelen ser los chicos malos. Charlie tiene el pelo largo que le cae en un flequillo mal cortado sobre un ojo. Es alto y delgado y lleva el brazo cubierto de tatuajes. Uno de ellos tiene una frase garabateada en toda su extensión. El vello de la nuca se te eriza como un trigal al imaginarte pasándole un dedo sobre las letras del tatuaje.

—Hola —dice, inclinándose sobre la barra a tu lado. Extiende la mano—. Encantado. Soy El jodido príncipe Guillermo.

A pesar de que habías planeado hacerte la interesante, no puedes evitarlo: te echas a reír. Le estrechas la mano, consciente de que tienes la palma húmeda. Tus dedos quedan engullidos al instante entre los suyos.

—¡Tienes unas manos enormes! —sueltas, y acto seguido te maldices por haber pensado en voz alta.

—Ah —dice, extendiendo las manos y examinándolas con detenimiento—. Ya sabes lo que dicen de los hombres con las manos grandes, ¿no?

Te sonrojas al instante.

—Huy, ¡a ver lo que se te habrá pasado por la cabeza, mal pensada! Me refería a que son grandes baterías.

—Ah, ¿eso es lo que dicen? —Con un repentino arrebato de valor, le coges una mano y la sostienes entre tus palmas—. En serio, tienes las manos más grandes que he visto. ¿No has pensado en ponerte en contacto con los del *Libro Guinness de los récords*? Y, si ésta es tu línea de la vida, vas a estar por aquí mucho tiempo —comentas, volviéndole una mano y trazando con suavidad la línea con el dedo.

—Deberías verme los pies —insinúa. Luego se gira y pasea la mirada por la barra—. De modo que así es como mata el tiempo la plebe, ¿eh?

—Bienvenido al mundo real. No suele pasarme que alguien me aborde en nombre de otro. En cierto modo, me ha recordado a mis años en el colegio.

—Tienes razón, ha sido un poco arrogante por mi parte. ¿Qué tal si dejas que te invite a una copa para compensarte? Pero quizá necesite recuperar la mano, aunque sólo sea para pagar.

Te das cuenta de que todavía sigues agarrándole la mano, y la sueltas de golpe como si fuera un ascua ardiendo. Sientes la cabeza ligera y burbujeante como el champán.

—Sería genial, gracias.

Charlie tamborilea un ritmo rápido sobre la barra. El joven barman se acerca e intenta disimular su alucine en cuanto se da cuenta de quién es:

—¿Qué te pongo?

Charlie se vuelve a mirarte con un destello de malicia en los ojos.

—Dos lingotazos de tequila dorado. Con naranja, no con limón.

Cuando vas a protestar y decirle que estás bebiendo vino espumoso y no tequila, él arquea una ceja sin dejar de mirarte y, en ese momento, tomas consciencia de que estás a punto de tomarte un tequila con el batería de los Space Cowboys. Es, con seguridad, uno de los chicos más atractivos del bar, quizás incluso del país, y encima tiene esas manos, esas manos enormes y sexys, y quiere tomarse un tequila contigo. Éste es, sin duda, uno de esos momentos «a través del espejo» que ocurren sólo una vez en la vida. Uno de esos en los que o aprovechas la ocasión y haces una pequeña locura o, por el contrario, no la haces, y lo más probable es que lo lamentes durante el resto de tu vida.

¿Deberías aceptar la invitación?, te preguntas. Sabes exactamente el efecto que el tequila provoca en ti, sobre todo después del vino espumoso: todas tus inhibiciones salen volando por la ventana. Si te embarcas por esa senda, probablemente no haya vuelta atrás.

Al pensar en la posibilidad de una noche loca con él, algo se encoge en tu interior. Sonríes a Charlie y asientes casi imperceptiblemente, intentando parecer serena mientras por dentro chisporroteas como una ristra de fuegos artificiales chinos. Te preguntas qué ha sido de tu señor Intenso, el tipo mayor y afable. No puede ser más distinto de Charlie.

Mientras sigues debatiéndote, el barman sirve los lingotazos y coloca media rodaja de naranja en el borde de cada vaso. Charlie desliza el tuyo hacia ti y levanta el suyo, desafiándote a un brindis.

Si quieres tomarte un tequila con una estrella del rock, ve a la página 28

 Si no quieres tomarte un tequila con una estrella del rock, ve a la página 52

Has decidido tomarte un tequila con una estrella del rock

¿Por qué no? Tampoco es que te vayas a casar con él. Nadie está pensando en un jardincito con su verja de madera blanca ni tampoco en un cuento de hadas con final feliz. Lo tomas por lo que es. Si juegas bien tus cartas, puede que esto se convierta en un «y fueron felices y comieron perdices» hasta el amanecer.

—Por el jodido príncipe Guillermo —dice Charlie, entrechocando su vaso contra el tuyo. Te lo tomas de un trago, contrayendo la cara cuando el licor te quema la boca y sientes el ardor bajándote por la garganta, antes de chupar la naranja para mitigar la quemazón del tequila. Charlie se ríe al verte la cara y estampa su vaso vacío contra la barra, chupando él también su rodaja de naranja.

—¿Has probado alguna vez un «trago de cuerpo»?

Niegas con la cabeza mientras sientes una descarga de calor cuando el tequila se expande por tu cuerpo.

Se acerca un poco a ti. De algún modo, consigue exudar sexo por cada uno de sus poros —se te ocurre que hasta huele a sexo—, sexo y tequila. Estira un brazo y te aparta un mechón de pelo de la cara, pasándotelo por detrás de la oreja. Te estremeces al sentir su contacto y casi no puedes apartar los ojos de él… Prácticamente sientes cómo todo su cuerpo irradia calor.

—Las reglas para un «trago de cuerpo» son muy sencillas —dice, inclinándose hacia ti, una vez más con esa sonrisa cómplice. Estás tan cerca de él que casi puedes besarlo—. Yo sujeto la naranja con la boca y tú puedes poner la sal en la parte de mi cuerpo que elijas, ¿de acuerdo? Luego me lames la sal, te tomas el trago y me muerdes la naranja de la boca. ¿Te apetece probar?

No te fías de lo que eres capaz de decir y te limitas a asentir. Se te han mojado las bragas de golpe al pensar en lamerle el cuerpo.

—Otros cuatro tequilas, amigo —le pide Charlie al barman—, y esta vez vamos a necesitar un poco de sal.

¿Cuatro? ¿En qué lío te estás metiendo?

El barman sirve los lingotazos y te los pone delante. Charlie coge el salero y te lo da.

—Tú primero —dice, con un destello desafiante en la mirada—. ¿Qué parte de mi cuerpo quieres?

Te tomas tu tiempo para recorrerlo con los ojos, pero esta decisión es fácil: tiene que ser ese brazo musculoso y fibrado de batería.

—Dame el brazo —dices. Te quedas impresionada al oír lo segura que suena tu voz. Sientes tus pezones duros y prietos, rozando contra el encaje del sujetador.

Charlie sonríe en señal de aprobación y coge una rodaja de naranja, atrapando la piel entre sus dientes perfectos y mostrando la pulpa de la fruta, esperándote. Luego extiende el brazo izquierdo hacia ti, el que lleva la inscripción.

Tiendes la mano hacia el brazo. Notas la piel caliente bajo las yemas de los dedos. Manteniéndole la mirada, dibujas una banda de sal sobre su antebrazo. Bajas la cabeza y, sin dejar de mirarlo, lames la sal del brazo trazando una línea, pegando la lengua a la piel y extendiéndola todo lo que puedes para así saborear la mayor cantidad posible de piel. Luego retrocedes, preparada para un segundo lametón y para asegurarte de que no te has dejado ni un solo grano de sal. Charlie sabe muy bien, a sudor y almizcle.

Tiene los ojos muy abiertos y se le dilatan las pupilas mientras ve avanzar tu lengua por su brazo. Luego coges el lingotazo y te lo bebes de un trago, y él se inclina hacia delante para que puedas morder la rodaja de naranja que tiene atrapada entre los dientes. Le agarras la nuca con la mano y tiras de él hacia ti. Sientes su boca pegada a la tuya cuando muerdes la naranja.

Le sueltas el brazo y él deja caer su mano inmensa sobre tu pierna, dándole un suave apretón. El tequila, su proximidad, su mano en tu muslo y su sabor te provocan un estremecimiento. Te inclinas un poco hacia atrás, haciendo un mohín debido a la acidez de la naranja, que mengua la intensidad del tequila.

—Me toca —dice Charlie, mirándote a los ojos y re-lamiéndose los labios. Estás tan mojada que, si te tocara ahora mismo, aquí mismo, probablemente te correrías en cuestión de segundos.

—Creo que quiero tu cuello —sugiere despacio, sin quitarte la vista de encima. Tragas saliva cuando él alarga la mano y te aparta el pelo del hombro, acariciándote el cuello con los dedos—. Justo aquí —ordena. Se te eriza la piel de todo el cuerpo y él se inclina, acercándose a ti un poco más.

Asientes, al tiempo que tu piel desea seguir disfrutando del contacto de esos dedos fuertes y diestros. Ladeas la cabeza para facilitarle la maniobra. Te sujeta el cuello con la otra mano y empieza a lamerte desde el hueco de la clavícula y sube por el cuello para terminar justo debajo de la oreja. Luego se aparta y te pone la naranja entre los dientes, a punto para su boca. Echa la sal dibujando una línea sobre la piel mojada; te sujeta con suavidad los brazos contra los costados y lame la banda de sal, empezando por el hueco del cuello y el hombro una vez más y pasando su lengua caliente hacia arriba, lamiéndote la sal de la piel. Si no para pronto, es muy posible que vayas a corrente sólo por el contacto de su lengua en tu cuello.

—Creo que me he dejado un trozo sin lamerte —te masculla al oído. Baja de nuevo hasta el borde de tu clavícula y recorre con pequeños mordiscos la piel, subiendo por tu cuello una vez más. Crees que vas a desmayarte simplemente por el enorme placer que te provoca. Satisfecho y convencido de haberte lamido minuciosamente, Charlie se toma el tequila y tira nuevamente de ti hacia él para morder la naranja que sujetas entre los dientes. Pega su boca a la tuya y saboreas la sal y el tequila en sus labios.

Antes de lo esperado, se separa de ti.

—¿Qué te parece si vamos a mi hotel y descubrimos unas cuantas concavidades más interesantes de nuestros cuerpos de las que tomar tequila? —propone, estampando su vaso vacío contra la barra.

Si te vas a la habitación de hotel de la estrella del rock para probar los «tragos de cuerpo», ve a la página 34

 Si decides pasar de la estrella del rock, ve a la página 52

Has decidido ir a la habitación de hotel de la estrella del rock

Estás de rodillas en el suelo, encima de una mullida alfombra, delante de una chimenea inmensa propia de una estrella del rock. Ya sé que es un cliché, pero es un cliché delicioso. Sólo una estrella del rock puede alojarse en una *suite* como ésta. Ocupa toda una planta del hotel y ofrece todos los lujos imaginables. Suena la música al volumen justo desde altavoces invisibles que deben de estar escondidos en el techo y también en las paredes. La que suena es una pieza desconocida para ti, con un bajo grave y suave.

Charlie está de rodillas delante de ti. Te quita el vestido por la cabeza con un solo movimiento, antes de que puedas darte cuenta de lo que ha hecho. Luego te empuja suavemente sobre la mullida alfombra, que sientes blanda y afelpada bajo tu espalda.

—Quieta —te ordena—, no te dolerá. —Habla con una voz aterciopelada, y te estremeces cuando vierte el tequila en tu ombligo—. Y ahora, ¿dónde pongo la sal? —bromea, pasándote los dedos desde el ombligo hasta el borde del tanga de encaje violeta—. La primera regla de los «tragos de cuerpo» —explica, retirando bruscamente los dedos justo cuando estás empezando a disfrutar de ellos—: ¡Fuera las manos!

Acto seguido, baja la cabeza y tira suavemente del borde del sujetador con los dientes. El sujetador te frota el pezón cuando él tira del encaje. Contienes el aliento al sentir la aspereza de sus dientes, y tienes el pezón tan erecto y tan sensible que estás a punto de retorcerte, pero no puedes pues sino derramarías el tequila que te llena el ombligo. Cuando por fin te ha retirado el sujetador del pecho derecho, saca la lengua y te da un generoso lametón en el pezón endurecido. Luego toma una rodaja de naranja y la tiende hacia ti para que la sujetes con la boca.

Te sopla suavemente sobre el pecho que acaba de lamer, endureciéndote el pezón más si cabe al tiempo que la fría brisa te eriza la piel de todo el cuerpo, ahora en llamas. Luego echa una raya de sal sobre el pezón, que ansía ser nuevamente blanco de su atención.

Finalmente, justo cuando apenas puedes soportar un segundo más que no te toque, se inclina sobre ti y lame rápidamente la sal de tu pecho —demasiado rápido para tu gusto; de hecho, te habría gustado que se quedara allí un poco más—, y baja la cabeza hasta tu ombligo. No puedes evitar arquear la espalda mientras él bebe el tequila de tu ombligo, metiendo en él la lengua y haciéndola girar alrededor de los bordes. Luego, antes de que tu cuerpo pueda reconocer lo que le ocurre, Charlie se ha puesto a cuatro patas encima de ti, con los brazos en el suelo a ambos lados de tu cabeza, y baja la boca hasta la tuya, devorando ávidamente la naranja, y no sabes qué ha sido de ella ni de la piel, pero ha desaparecido en cuestión de segundos, y entonces te está besando y sientes su polla dura dentro de los vaqueros y contra tus bragas empapadas.

Os besáis frenéticamente, con furia, entrelazando las lenguas, impregnadas del sabor a sal y a tequila. Empujas las caderas contra su paquete, buscando desesperada aliviarte con un poco de fricción. Y entonces lo rodeas con las piernas desnudas, empujando contra la erección que no disimulan sus vaqueros. Basta ya de toda esta ropa. Lo que quieres es sentir su piel contra la tuya, así que lo haces rodar boca arriba y te sientas a horcajadas sobre él. Rápido como un zorro, Charlie te pasa la mano por la espalda y te desabrocha el sujetador, liberándote los pechos. Pero no es justo: tú estás casi desnuda y él lleva puesta casi toda la ropa. Así que lo coges de las muñecas y le sujetas los brazos por encima de la cabeza. Él intenta mordisquearte los pechos, pero te apetece jugar con él un poco, de modo que se lo impides.

—¡Ahora me toca a mí! —jadeas, mirándolo a los ojos y encajando tu entrepierna en la suya. Sentir su erección contra ti es tan satisfactorio que te ves obligada a parar. Sabes que si te frotas contra él un poco más, aunque él lleve puestos los vaqueros y apenas te haya tocado, te correrás en cuestión de segundos. Pero no quieres correrte todavía: tienes otros planes. Charlie levanta la cabeza e intenta besarte, pero sólo se lo permites durante un segundo antes de levantar la cabeza. Ahora eres tú la que está al mando.

Todavía a horcajadas encima de él, con las rodillas cómodamente apoyadas en el pelo de la alfombra, le sueltas las muñecas y le arrancas la camiseta. Luego gateas sobre su cuerpo, mordisqueándole el torso musculoso, atrapando brevemente sus pezones entre los dientes y oyéndolo gemir de placer. Entonces, le desabrochas el botón de los vaqueros, le bajas la cremallera y se los quitas, liberando la polla más grande y enhiesta que has visto en tu vida. Es tan inmensa que te asusta un poco la idea de tenerla dentro. Charlie levanta la cabeza y una sonrisa de orgullo se dibuja en su cara.

—¡Quieto! —ronroneas al tiempo que coges la botella de tequila y le echas un chorro en el ombligo. El líquido rebosa, y ves cómo se desliza plácidamente por su piel en todas direcciones, una parte hacia la entrepierna, recorriendo en pequeños riachuelos su negro vello púbico.

Te arrodillas junto a él y sostienes el salero en alto. Charlie te mira, expectante, y tú te agachas y le sujetas la verga con una mano y la lames despacio desde la base hasta la punta, mientras con la otra le coges los huevos y se los aprietas con suavidad. Luego, vuelves a pasarle la lengua por la polla esta vez desde la punta hasta la base. Él cierra los ojos y echa la cabeza hacia atrás, gimiendo de placer e intentando no retorcerse y derramar el tequila.

Te toca ahora a ti tenerlo a tu disposición, y disfrutas con cada segundo. Le metes una rodaja de naranja en la boca, amortiguando así sus gemidos. Viertes una pequeña línea de sal a lo largo del tramo que has lamido y, entonces, lames despacio los granos de su polla, sintiéndola palpitar bajo tu lengua. Acto seguido, le chupas el tequila del ombligo, lamiendo alrededor para beberte hasta la última gota. Vuelves a sentarte sobre él y gateas recorriendo todo su cuerpo hasta morder la naranja que sostiene entre los dientes, disfrutando del sabor del cítrico tras el rastro del tequila garganta abajo.

Incapaz de contenerse por más tiempo, Charlie te empuja hasta apartarte de él y te tumba boca arriba, sujetándote los brazos contra la alfombra de pelo y apretando su tranca contra ti.

—Te quiero tener dentro —jadeas, incapaz de soportar el suspense durante más tiempo. Sientes cómo te quita el tanga de encaje violeta y das gracias por haberte decidido por él en vez de por las bragas de abuela o la faja de licra. Y, en ese momento, sientes la cabeza de su polla contra ti.

—Suave —susurras, y añades—: con cuidado —al tiempo que te incorporas un poco, de pronto preocupada pues no quieres quedarte embarazada.

Él asiente sin dejar de mirarte, entendiendo, y saca un condón del bolsillo de los vaqueros, que han quedado revueltos en un amasijo a tu lado. Vuelves a tumbarte, excitada, respirando de forma cada vez más acelerada. Entonces él se incorpora, apoyándose en un brazo, y se pone el preservativo.

—¡Suave! —vuelves a susurrar, echando la cabeza hacia atrás y abriendo más aún las piernas para dejarlo entrar. Te penetra despacio. Estás tan mojada que la cabeza de la polla se te desliza dentro fácilmente, pero luego sientes que el coño se te contrae a medida que vas dejándolo entrar más y más, y arqueas la espalda hasta que te llena completamente y hasta el fondo. Es demencialmente placentero, sobre todo a medida que sus embestidas, suaves al principio, se vuelven cada vez más firmes y ganan en velocidad. Es casi demasiado grande para ti, pero la sensación es tan fantástica que no quieres que pare.

Justo cuando coge el ritmo, la saca un momento y aprovechas la ocasión para tumbarte boca abajo. Te arrodillas y levantas el culo en alto y él gime de deseo tomándote por detrás y volviendo a metértela. Sientes la cabeza de su polla empujando contra tu punto G en lo más profundo de ti, y sabes que eso es lo que querías sentir, y empiezan a temblarte las rodillas a medida que con cada embestida te acerca más y más a un salvaje orgasmo. Y enseguida te coge por las caderas y te folla sin piedad, y ya no puedes aguantar más, de modo que empujas también contra él, controlando la profundidad de cada embestida tal y como a ti te gusta, hasta que sólo es necesaria una sola embestida más, una sola, para hacerte correr, y pones los ojos en blanco al tiempo que se te encogen los dedos de los pies y el coño se te contrae un millón de veces cuando los dos os corréis a la vez, tú dejando escapar un largo gemido gutural y él con un grito mientras te agarra de las caderas y te da un azote en el culo con su enorme mano, prolongando tu orgasmo con el delicioso aguijoneo del azote y aumentando su intensidad.

Por fin, justo cuando crees que tus temblorosas piernas no van a poder seguir aguantándote más tiempo, él la saca y te derrumbas de costado sobre la alfombra, con el cuerpo bañado en sudor. Charlie se derrumba a tu lado y tira de ti hacia él, pegando tu espalda a su estómago. Te sientes totalmente satisfecha: la cabeza en una nube de tequila y placer, tus piernas entrelazadas con las suyas mientras tu cuerpo se convulsiona, presa de una serie de espasmos, y él te envuelve en sus brazos.

Cuando, cien años después, por fin abres los ojos de nuevo, pasas el dedo por la inscripción del tatuaje que le ocupa todo el brazo derecho, precisamente la que no has lamido… todavía. Dice así: «No sé adónde voy a partir de aquí, pero prometo que no será aburrido». Sonríes al sentir que vuelve a empalmarse y al notar cómo esa polla gigantesca empieza a despertar contra tu espalda.

—¿Sabes lo que deberíamos hacer? —dice, tamborileando suavemente sobre el dorso de tu brazo con las yemas de los dedos.

—¿Qué? —«¿Qué diantre puede querer ahora?», piensas—. ¿Cómo es posible que ya estés dispuesto a repetir? —preguntas, atónita ante su vigor.

Él sonríe de oreja a oreja y se encoge de hombros, pero su mirada se desvía de pronto hacia un pequeño paquete de plástico que debe de habérsele caído del bolsillo cuando ha sacado el condón. Dentro hay varias pastillas azules. Sabes perfectamente lo que son. No paras de recibir publicidad no deseada en tu buzón de correo electrónico. Charlie se aclara la garganta y empuja los vaqueros hasta tapar con ellos el paquete revelador.

Te decepciona un poco: ¿una estrella del rock que tiene que tomar Viagra? Esto está muy lejos de la imagen que te habías hecho de él.

—¿Quieres hacer algo realmente salvaje? —pregunta.

—¿Salvaje? —inquieres a tu vez, nerviosa.

—Sí —dice, dándote un pequeño apretón—, algo un poco distinto, un poco... ya me entiendes, ¡sucio!

—Depende de lo que tengas en mente. —Te preocupa la clase de sexo depravado que tenga planeado ahora. Si se cree que te penetrará con ese órgano monstruoso en alguno de tus otros orificios, ya puede empezar a olvidarse del tema.

—Bueno, se me ocurre que quizá podríamos ducharnos juntos —dice—. La ducha de esta *suite* es una locura. Tiene unas magníficas vistas de la ciudad.

*Si decides darte una ducha con una estrella del rock,
ve a la página 44*

 *Si estás cansada, reventada y quieres irte a casa,
ve a la página 50*

Has decidido darte una ducha con una estrella del rock

Respiras. Buf, no es más que sexo en la ducha. Tampoco es nada tan sucio. Con o sin Viagra, eso es algo que puedes hacer fácilmente con una estrella del rock sexy en el cuarto de baño de un lujoso hotel con unas vistas imponentes. Además, ha sido una noche larga y tórrida, así que la idea del agua fría suena tentadora. Te imaginas esas manos grandes frotándote jabón por todo el cuerpo y empiezas a mojarte de nuevo.

—Suena genial —dices, girando la cabeza y besándole la mandíbula, tras lo cual acto seguido le lameteas el cuello. Te acaricia un pecho con la mano y aprisiona un pezón entre los dedos. Todavía tienes el cuerpo tan sensible después del descomunal orgasmo que lo que sientes es una deliciosa agonía.

Charlie se levanta y te tiende la mano.

—Venga, vamos.

Dejas que tire de ti para levantarte y lo sigues hasta la enorme alcoba principal. La inmensa ventana panorámica da al joyero de luces que es la ciudad, y hay una gigantesca cama circular en el centro de la habitación.

Charlie tira de tu mano y lo sigues hasta el cuarto de baño, que es casi tan grande como tu apartamento entero. El suelo está cubierto de enormes baldosas de mármol, y las luces de la ciudad resplandecen al otro lado de un ventanal que va del suelo al techo.

Sin soltarte la mano, Charlie abre la ducha y entra, llevándote tras él. Hay espacio de sobra para los dos y hasta una banqueta de mármol por si quieres sentarte a admirar las vistas de la urbe y el cielo nocturno.

Abre los grifos y sientes la presión del agua golpeándote desde una docena de chorros distintos situados a varias alturas y ángulos, una maravilla sobre tu cuerpo todavía caliente. Charlie tira de ti hacia él y te besa profundamente mientras el agua llueve sobre ambos. Todavía tienes las rodillas temblorosas a causa del orgasmo anterior y, cuando sientes que te pasa una sedosa pastilla de jabón por la espalda, te inclinas contra él. El jabón se desliza entre tus glúteos hasta el coño, que vuelve a palpitar en respuesta a su contacto.

—Oh, Dios mío —gimes, sintiendo que el placer que provoca en ti el jabón te debilita las rodillas.

Charlie te mira y, en ese momento, te das cuenta de que el pelo mojado se le ha aplastado contra la frente, lo cual le da un aspecto un poco ridículo. También constatas que debe de haber llevado maquillaje, y que, obviamente, no es a prueba de agua, porque ha empezado a difuminársele bajo los ojos. Das un paso atrás y ves, consternada, que la cita de David Bowie que lleva en el brazo empieza a desteñirse al tiempo que las líneas escritas a plumilla se disuelven bajo el agua.

—Pequeña —dice Charlie, con expresión muy seria.

Asientes. No estás segura de poder hablar.

—¿Harías algo por mí?

Un ligero hormigueo de preocupación te recorre la columna.

—Hay algo que me gustaría… A lo mejor te parece un poco raro, pero a mí me pone a mil —dice—. Y, si lo pruebas, espero que a ti te pase lo mismo.

Te aclaras la garganta.

—¿Sí? —Te preguntas qué puede ser. Incluso aunque vaya maquillado, necesite Viagra y sus tatuajes no sean auténticos, sigue siendo el batería de los Space Cowboys, es un tío jodidamente sexy y el sexo que acabas de experimentar con él ha sido increíble. Sea lo que sea lo que esté a punto de pedirte, estás casi segura de que puedes hacerlo. Al menos, lo considerarás sin cerrarte en banda.

Te coge de las muñecas y te mira a los ojos, casi implorante. Luego dice:

—Tengo muchas ganas de que me mees encima.

Contienes el aliento, intentando concentrarte para no hacer ninguna mueca. «Abre tu mente, abre tu mente, abre tu mente», te repites en silencio.

—¿Qué? —Quizá, con suerte, hayas oído mal.

—Que me pondría a mil del todo si me mearas encima, en serio —repite mirándote esperanzado.

—Hum... —murmuras—. ¿Quieres que mee? ¿Encima de tu cuerpo? —Creías que eso era algo que la gente hace sólo cuando le pica una medusa.

Él asiente y esboza esa sonrisa sexy que ya conoces. Pero con esos ojos de mapache y el pelo aplastado que deja a la vista una pequeña calva ahora que el agua ha enjuagado el gel, ya no te parece tan sexy.

Sí —dice—. Es una pasada. Yo me sentaré en la banqueta y cerramos los grifos, y entonces puedes mearme donde quieras, vuélvete loca.

—Hum... —vacilas—. Es que..., ahora mismo no tengo que hacer pipí, pero deja que beba agua y que vaya a buscar un par de copas de champán. Seguro que después podré mearte. ¿Qué te parece?

Se le iluminan los ojos al ver tu reacción.

—¡Fantástico! —grita—. Joder, eres increíble. ¡Vamos a ponernos a mil!

Sonríes y le besas suavemente en los labios antes de salir de la ducha.

—Espera aquí, bestia sexual. Ahora vuelvo.

Mientras sales del cuarto de baño, teniendo cuidado de no resbalar sobre el suelo de mármol, te vuelves y lo ves tocando una guitarra imaginaria en la ducha.

Corres hasta el salón, mientras el agua sigue goteando

de tu cuerpo. Coges una manta del sofá —parece cara, aunque ¿a quién le importa?— y te secas con ella. Recoges tu ropa interior del suelo y te pones el vestido sobre la piel mojada. Luego coges los zapatos y el bolso y sales de puntillas por la puerta de la *suite*, cerrándola sin hacer ruido tras de ti. Corres hacia el ascensor, riéndote histérica al imaginarte a Charlie convertido en una ciruela pasa en la ducha, y al imaginar también la cara que pondrá cuando entienda que no vas a volver. ¡Tarado!

* * *

Sin duda, es hora de volver a casa y ver un DVD con un gran cuenco de palomitas. O espera: quizá deberías pasar por casa de Melissa. ¡No se lo va a creer!

Para ir directa a casa, ve a la página 258

 Si, antes de ir a casa, quieres pasar a ver a Melissa para contarle tu noche loca, ve a la página 291

Estás cansada, reventada y lo único que quieres es irte a casa

Bostezas y te desperezas. Estás cansada y saciada. Detrás de ti, Charlie te pega su polla tiesa a la espalda. Tienes la sensación de estar viviendo una especie de sueño en el que las chicas normales se follan a las estrellas del rock buenorras en alfombras de pelo de *suites* de hoteles caros con vistas a la ciudad. Crees que si en este momento alguien te pellizcara, probablemente te despertarías y todo habría terminado.

El final perfecto para la noche perfecta sería que pudieras acurrucarte y dormir durante horas, pero, a juzgar por la porra que tienes pegada contra la parte baja de la espalda y esa bolsa llena de Viagra, a este tipo le quedan todavía un par de rondas en cartera. Después de todo el champán y el tequila, seguidos de este sexo vigoroso y fantástico, no te parece que te apetezca repetir. La idea de volver a tener esa polla enorme dentro de ti es tentadora, aunque también puede ser demasiado agotador. Y, en cualquier caso, una estrella del rock que necesita tomar Viagra... ¿no es un poco patético?

—¿Sabes qué? —preguntas, volviéndote hacia él.

—¿Qué? —responde, sonriendo confiado.

—He pasado una noche increíble, pero creo que voy a dejarlo aquí. —Le besas con fuerza en los labios, te levantas y coges tu vestido antes de que él pueda volver a tirar de ti a la cama—. Gracias por todo.

Te mira, incrédulo.

—¿Quieres decir que no vas a quedarte?

Niegas con la cabeza mientras él, boquiabierto, ve cómo te pones el vestido, localizas tus zapatos y metes el tanga y los sujetadores en el bolso.

—¿A lo mejor podríamos repetir otra vez? —pregunta con una voz que casi roza la súplica.

—A lo mejor. —Sonríes misteriosamente de camino a la puerta.

Mientras bajas en el ascensor, casi tienes que pellizcarte. Sin duda, es momento de volver a casa. O quizá de camino podrías pasar por la cafetería del barrio que está abierta hasta tarde y comprarte un chocolate caliente.

 Si te vas directa a casa, ve a la página 258

 Si pasas por la cafetería, de camino a casa, ve a la página 283

 Si no te apetece irte a casa todavía, ve a la página 281

Has decidido que no quieres tomarte un tequila con una estrella del rock

Miras el lingotazo de tequila que tienes delante y el olor te provoca náuseas. No te parece una buena idea. Charlie te mira expectante y en ese momento se te ocurre una maldad: te paras a pensar en todas las mujeres que debe de haberse follado. Serías sólo una más, otra conquista, y el arrogante cabrón ni siquiera se ha molestado todavía en preguntarte cómo te llamas... Así de seguro está de sí mismo. Bah, piensas, menudo patán. Por muy grandes que tenga las manos, no hay nada menos sexy que un hombre que va de sobrado.

—Gracias —dices, bajando del taburete—; quizás en otra ocasión.

—¿Te vas? —pregunta, boquiabierto.

Asientes y te preguntas si será la primera vez que una mujer le da calabazas. Claramente no sabe cómo reaccionar.

Lo dejas sentado en la barra y, cuando llegas a la puerta, te vuelves a mirar y lo ves hablando con dos rubias a las que ofrece los lingotazos que le quedan. Sonríes, satisfecha con tu decisión, al tiempo que sales del bar a la noche fresca y despejada.

Pero ¿qué harás ahora? Lamentas que el señor Intenso haya vuelto a su reunión de negocios. Sin duda, había algo magnético en él. Y la fascinante mujer del lavabo... Quizá sería divertido tomarte una copa con ella. Tal vez deberías ir a la exposición a ver si la encuentras.

Puede que sea hora de llamar a un taxi. La noche todavía es joven.

O podrías irte a casa y entretenerte sola. Visualizas la caja que guardas en el cajón junto a la mesita de noche. Fue un regalo que te hicieron dos amigas el día de tu último cumpleaños. Dentro hay un vibrador, todavía pulcramente protegido por su envoltorio. Se llama conejillo... No, un momento: Mr. Rabbit. Supuestamente debía ser una broma, pero tú y ellas sabíais que en realidad no lo era. Durante el último par de años, has estado tan ocupada labrándote una carrera profesional que tus amigas han empezado a preocuparse un poco por la sequía en la que estás inmersa.

Todavía no lo has utilizado, pero quizás esta noche sea *la* noche. Así, al menos, te garantizas un final feliz.

Si todavía no es hora de volver a casa, pero no estás de humor para ir a una exposición, ve a la página 55

 Si quieres llegar a la exposición antes de que cierre, ve a la página 61

 Si quieres ir directamente a casa y disfrutar de Mr. Rabbit, ve a la página 295

Has decidido llamar a un taxi

Vuelves a mirar el reloj. Han pasado quince minutos desde que has llamado a un taxi y empiezas a estar molesta. Te han dicho que tardaría cinco minutos, pero están empezando a parecerte los cinco minutos más largos de la historia. Un par de mujeres salen entre risas del bar y pasan junto a ti tambaleándose y cogidas del brazo. Buscas el móvil en el bolso y reparas en el folleto que te han dado antes. Lo sacas y vuelves a examinarlo: el misterioso nombre «Immaculata» impreso sobre la foto de la mujer de los ojos seductores que has conocido en el servicio. Estudias la dirección. Sabes dónde está: a tan sólo un par de calles de aquí. Podrías acercarte, incluso con estos tacones.

Dos chicos te silban desde la acera de enfrente.

—¿Todo bien, preciosa? —grita uno, cogiéndose el paquete—. Si pudiera verte desnuda, me moriría feliz.

Después de la indeseada atención que Pecho Peluca te ha prestado antes, no estás de humor para tragar más mierda.

—¿Ah, sí? —le gritas a tu vez—. Si yo pudiera verte desnudo, me moriría de la risa.

Te sorprendes cuando los dos chicos bajan la cabeza y huyen a la carrera. Tu respuesta tampoco ha sido tan cortante.

—¿Todo bien?

Cuando alzas la vista, te encuentras con un hombre del tamaño de un árbol y con la voz profunda. Es el guardaespaldas de los Space Cowboys. Probablemente eso explica por qué esos idiotas parecían tan avergonzados.

—Hola —dices—. Estaba esperando un taxi. Me han dicho que tardaría cinco minutos, pero las compañías de taxis tienen un concepto del tiempo distinto al del resto de los mortales.

Se ríe y se sienta a tu lado en la barandilla metálica que rodea la pared exterior del bar.

—¿Así que al final has decidido no irte de fiesta con Charlie? —pregunta.

—No te habrá mandado aquí fuera para llevarme dentro a rastras, ¿verdad?

—No. No me paga tanto como para ocuparme de esa clase de trabajos.

—Ya, bueno, ha sido divertido, pero la verdad es que Charlie no es mi tipo.

—Bueno, es mi jefe. Aunque, entre tú y yo, creo que has tomado la decisión acertada.

—Yo también lo creo —dices—. Gracias por el voto de confianza.

—¿Te llevo a casa? —pregunta, dando un paso hacia el bordillo.

—¿No te echarán de menos dentro?

—Qué va. Me han mandado a hacer un recado —informa—. Puedo llevarte a donde quieras. No me echarán de menos durante un rato.

—¿Un recado?

—Sí, ya sabes. Un recado.

—¿Te refieres a comprar drogas o algo de eso?

—¿Te parezco la clase de hombre que haría algo así?

—Bueno...

—En serio, no es nada ilegal. Puedes fiarte de mí. Soy ex policía.

—Supongo que proteger a estrellas del rock es más lucrativo que detener a borrachos o resolver asesinatos.

Se encoge de hombros.

—Este trabajo tiene también sus ventajas. —Apunta con un mando a distancia hacia el bordillo y pulsa un botón. Ves cómo las luces de un lustroso deportivo negro responden con un destello. Te quedas boquiabierta y él sonríe de oreja a oreja al ver tu reacción.

Se trata de un coche de suelo muy bajo, con las llantas de aleación y pintura personalizada que refleja la luz del cartel de neón del bar.

—¿Es un trescientos cincuenta-Z? —preguntas.

Asiente con aprobación.

—Estás al día, ¿eh?

—Es la edición especial del Gran Turismo, ¿no? ¿No habían fabricado sólo unos pocos cientos de ellos?

—¿Cómo demonios sabes tú eso? —pregunta, mirándote con admiración—. Pero sí, así es.

—¿No es el que viene con caballos de potencia adicionales?

Lo has dejado fuera de combate. «Qué divertido», piensas mientras intentas darle más características del coche. No es necesario decirle que si lo reconoces es porque uno de tus ex novios era fanático de la revista *Top Gear* y te machacaba con miles de horas de pornografía de coches deportivos.

—Ojalá fuera mío —dice—. Aunque, afortunadamente, como Charlie suele estar demasiado pasado de rosca para llevarlo, paso mucho rato al volante. —Le suena el teléfono y su mano desaparece al instante en el interior de su bolsillo—. Tengo que cogerlo. No tardaré. Luego podré llevarte a donde quieras. —Se aleja hasta la esquina para poder hablar en privado.

Te imaginas recorriendo las calles de madrugada en ese hermoso coche. Además, dejando a un lado el coche, el guardaespaldas no está nada mal. Aunque es enorme, está claro que va al gimnasio y sospechas que cada centímetro de su cuerpo es puro músculo.

Un taxi se para delante de ti, interrumpiendo tus pensamientos, y el taxista se baja del vehículo y apoya un brazo sobre el techo.

—¡Por fin! ¡Deben de haber sido los cinco minutos

más largos de la historia del mundo! —le dices con las manos en la cintura.

El conductor mira la nota que lleva en la mano, visiblemente confundido.

—¿El señor Cornetto? —pregunta.

—¡No! —replicas—. Pedí un taxi hace casi media hora. ¡La operadora me ha dicho que tardaría cinco minutos!

—Lamento decirle que este taxi es para el señor Cornetto.

—Creo que se refiere a mí —dice una voz a tu espalda. Te vuelves bruscamente, preparada para enfrentarte a quienquiera que esté intentando quitarte el taxi, y te quedas de una pieza cuando te encuentras con el hombre sexy del pelo canoso que te ha rescatado hace un rato de las garras de Pecho Peluca. El que huele a esa mezcla de cedro y cuero y que podría competir con el mismísimo George Clooney. Miles dijo que se llamaba, ¿no?

—Vaya, eres tú —dices, sonrojándote, claramente avergonzada. A este paso, y con tu ingenio, vas a acabar con él.

—¿Todo en orden? —pregunta, mirándote a ti y después al taxista.

—Todo en orden. Es sólo que estaba esperando un taxi, pero no es éste.

—Bueno, no hay motivo alguno para que no lo sea —dice—. ¿Por qué no lo compartimos?

—No, no quisiera molestar. No importa, en serio. Él también se ha ofrecido a llevarme —comentas, señalando al guardaespaldas que está en la esquina y que mantiene en ese momento un altercado con quienquiera que tenga al teléfono—. Y, de todos modos, ya me has ayudado una vez esta noche.

—¿Estás segura? Me parece que tu amigo ya tiene bastante con lo que tiene.

Es tan atractivo que tienes que esforzarte en dejar de mirarlo. Bajas la cabeza y te das cuenta de que sigues con la invitación a la exposición de «Immaculata» en la mano. Te zumban las ideas mientras decides qué hacer.

 Si vas a la exposición, ve a la página 61

 Si compartes el taxi con el hombre parecido a George Clooney, ve a la página 124

 Si dejas que el guardaespaldas te lleve a casa en el deportivo, ve a la página 193

Has decidido ir a la galería a ver la exposición

A la entrada de la galería, la misma imagen del folleto te mira desde un cartel enorme en las alturas, con la palabra «Immaculata» estampada encima. No hay duda de que estás en el lugar adecuado.

Entras en la sala y te sorprende la iluminación tenue e íntima. Los únicos focos están reservados a las vívidas imágenes que cuelgan alrededor de la habitación. La sala no está llena, pero sí bastante concurrida, con pequeños grupos de gente repartidos aquí y allá, charlando, tomando champán y hablando de arte.

Te acercas a la primera obra. Es una moderna versión fotográfica de los exuberantes cuadros de flores de Georgia O'Keefe, las que parecen vaginas. Esta carnosa flor de color rosa realmente es idéntica al objeto real. Miras con más atención y casi sueltas un chillido: no estás mirando una flor, sino una vagina auténtica... o, mejor dicho, estás contemplando su interior. Echas un vistazo a tu alrededor para ver si alguien se ha dado cuenta y está tan atónito como tú, y luego vuelves a inclinarte hacia delante, fascinada a pesar de todo. Sí, lo que tienes delante de ti, colgado en la pared, es un coño con todas las letras.

A lo mejor no lo has visto bien. O quizá tengas una

mente sucia. Pasas rápidamente a la siguiente fotografía. Santo cielo. Esta vez es una foto de la pelvis desnuda de una mujer de la cintura a los muslos. La modelo está reclinada y relajada, con las piernas entreabiertas, un espeso y lustroso matorral entre ambas y una mano deslizándose despreocupadamente sobre la cara interna del muslo. Tragas saliva, pero no puedes evitar fijarte en que la pose parece natural e impactante.

Las siguientes fotos, todas con el color saturado para que la piel brille, son variaciones sobre el mismo tema. En algunas, el objetivo está tan cerca que puedes incluso llegar a ver el granulado de la piel, el fino vello del vientre; en otras, el objetivo está tan desenfocado que las fotos de coños parecen realmente rosas y lirios impresionistas en toda suerte de escarlatas, rosas, cafés y marrones.

Por fin llegas a una fotografía más grande que las demás. En ella, se muestra gran parte de la parte inferior del cuerpo femenino, tumbado en una cama deshecha, con las piernas separadas y el coño sonrosado y anidado en una espesa mata de pelo negro. El vientre levemente curvo y un pecho, con el pezón erguido, se estiran, perdiéndose hacia el fondo. Aun así, no tiene nada de pornográfico. Hay algo íntimo, casi reverente, en el modo en que está presentado el cuerpo de la mujer.

Te llevas la mano el cuello y te sorprendes al comprobar que estás ligeramente sudada.

Sigues mirando fijamente la foto cuando una mano se desliza con suavidad sobre tu brazo.

—¿Disfrutando de la exposición? —te susurra una aterciopelada voz al oído. Es la mujer del lavabo del bar, la misma cuyo rostro aparece en los carteles.

—¡Ah, hola! Hum, sí, muy original —tartamudeas—. ¿Son tuyas? Quiero decir, ¿eres tú la fotógrafa? ¿Te costó conseguir que las modelos... ejem... posaran?

—Eres consciente de que debes de parecer una idiota, balbuceando así, pero es que esta mujer te perturba.

Ella deja escapar una risa cálida y ahumada.

—A decir verdad, no. De hecho, se rumorea que fue un placer trabajar con esta modelo.

Estás confusa. La mujer te pone la mano en la parte baja de la espalda y te empuja con suavidad, dándote la vuelta hacia una foto que está en el rincón. Te la quedas mirando, atónita: es ella. Y en la foto aparece totalmente desnuda, y todo —y «todo» es literalmente todo— está a la vista. La mujer de la foto mira orgullosa al espectador con el cuello erecto y los pechos, que desafían con su turgencia la ley de la gravedad, decorados tan sólo por una ornamentada cruz de plata que cuelga entre ellos. Está sentada en un sofá, con una pierna relajada y la otra colgando por encima del apoyabrazos.

Te has quedado muda. Titubeas un poco, hasta que por fin sueltas:

—¿Eres Immaculata?

—Ése es el nombre que me puso mi madre. Aunque mis amigos me llaman Mac.

Te vuelves a mirarla —lo que sea con tal de apartar los ojos de la foto de la pared— y te fijas entonces en que de sus pendientes de candelabro cuelgan unas pequeñas calaveras de plata y azabache.

—¿Qué te parecen? —pregunta, dirigiendo de nuevo tu atención hacia las fotografías increíblemente íntimas, algunas de las cuales alcanzan casi los dos metros de altura.

—Son... son... increíbles —tartamudeas—. No he visto nunca nada parecido.

—Gracias —se limita a decir—. A mí también me gustan.

—Me parece que es muy valiente por tu parte mostrarte así. No sé si yo me atrevería.

—¿Por qué no? —pregunta, volviéndose a mirarte. Cuando te mira, centrándose en ti, es como si no hubiera nadie más en la sala.

—No sé. Supongo que es demasiado... demasiado... íntimo.

—Íntimo, sí —dice—, pero también liberador. A decir verdad, fue un auténtico subidón.

—¿No te sentiste tímida ni avergonzada?

—En absoluto. Y Cat me puso las cosas muy fáciles.

—¿Cat?

—La fotógrafa. Trabaja con Jan Kollwitz. Él es el famoso, aunque dice que dentro de unos años ella será una competencia muy a tener en cuenta.

Habla como si tuvieras que saber exactamente de quién se trata, y el tal Jan no te suena ni de lejos.

—Están por aquí. Ah, mira, ¡ya los veo! —Mac levanta un elegante brazo y señala a una pareja que está en el otro extremo de la sala. La mujer está rodeada de un grupo que no deja de congratularla, y acepta cumplidos y una interminable serie de besos en las mejillas mientras él está un poco retirado, sonriendo orgulloso. Con su perfil anguloso e irregular y esos ojos hundidos, no es un hombre convencionalmente guapo. Aunque, sin duda, ese aire de antihéroe lo convierte en un tipo atractivo. Viste de manera informal, con vaqueros y un jersey gris de cuello redondo. Ella es más joven, lleva el pelo lustroso cortado en una melena corta y escalonada, y va vestida con una sencilla camisa de seda de color perla y unos vaqueros negros y ajustados, con zapatos bajos de punta redondeada de cachemir. Se vuelve una y otra vez a mirar entre risas a su compañero, dándole pequeños golpes en el brazo.

—Hacen una buena pareja —dices, y Mac deja escapar una vez más su risa ronca.

—¡Qué divertido! Aunque es un error que comete la mayoría.

Lo que dice te confunde todavía más.

—¿Qué es lo que te hace tanta gracia?

—Cat es gay y Jan es muy, muy hetero. En cualquier caso, él es su supervisor. Hace ya un tiempo que hace con ella las veces de mentor. Cat trabaja en muchas de sus sesiones. Ésta es la exposición de graduación de su máster en Imagen.

Casi no has tenido tiempo de recolocar tus muebles mentales cuando Cat se acerca a vosotras, seguida de Jan.

—Gracias a Dios que has aparecido —comenta la fotógrafa, abrazando a Mac—. ¡Creía que no iba a poder librarme nunca de esa conversación!

—Te felicito por la exposición —dices.

Ella sonríe de oreja a oreja.

—O bien mis examinadores sufren varios infartos colectivos o me ponen las notas más altas. Todavía no estamos seguros de cuál será el veredicto final.

Mac vuelve a sonreír y el sugerente lunar que tiene en la mejilla se eleva hacia el pómulo.

—Aquí, mi amiga me preguntaba cómo me sentía mostrándome así. Sinceramente, yo lo recomiendo.

—Bueno, ayuda que, siendo bailarina, seas exhibicionista por naturaleza —se burla Cat. Se vuelve hacia ti—. Mac es una vieja amiga. He querido hacer algo experimental, y ésta es una idea a la que llevábamos dándole vueltas desde hacía tiempo. Y ella estaba dispuesta a enseñarlo todo. Aunque Jan es el experto a la hora de fotografiar cuerpos de mujeres.

—Exageras —dice Jan, ligeramente avergonzado. Su reacción despierta tu simpatía.

Cat se gira hacia ti.

—Si estás interesada, deberías probarlo.

Mac sonríe. Es una sonrisa a la vez burlona y desafiante.

—Nunca se sabe. Puede que le cojas el gusto.

Niegas instintivamente con la cabeza.

—¿No me digas que no te tienta un poco? —pregunta Mac.

—En serio —interviene Cat respetuosa—. Creo que serías una modelo estupenda. —Los tres se centran ahora en ti, y sientes que el estómago te da un vuelco. .

—Jan, ¿no te parece que sería perfecta para esa serie en blanco y negro en la que estás trabajando? ¡Mira la textura de su piel! —dice la fotógrafa.

—Hola... Estoy aquí —dices, nerviosa a la vez que halagada.

Cat se ríe.

—Mirad, tengo que ponerme manos a la obra: hay gente a la que tengo que ver e inversores con los que debo congraciarme. Mac, ven y échame un cable, por favor. Necesito tu apoyo moral. Jan, ¿por qué no le cuentas un poco más sobre tu proyecto a esta preciosidad? —La fotógrafa se marcha, acudiendo a la llamada de un pequeño grupo de entusiastas admiradores.

Mac te agarra de la muñeca y sientes la frialdad de sus dedos sobre la piel.

—De verdad deberías pensarlo, chica. Sería un placer apreciar... tus encantos —añade antes de alejarse con suavidad tras la estela de Cat.

Se produce una pausa y aparentemente Jan no tiene prisa por romper el silencio. Al contrario: sus ojos parecen desplazarse despacio sobre tu cara y tu cuerpo, como intentando encomendarte a su memoria. Empiezas a sentirte intimidada, aunque, al mismo tiempo, el hecho de ser el objeto de un escrutinio tan intenso te resulta peculiarmente excitante. Los segundos pasan despacio e intentas encontrar algo que decir.

Pero antes de que se te ocurra nada, él suelta, como si acabara de tomar una decisión:

—Cat tiene razón. Serías una modelo fantástica. La curva que describe tu cuello, desembocando en tu hombro... —vuelve a dedicarte una larga mirada—. ¿Crees que podría interesarte?

—Oh, no, no creo que... Me refiero a que no podría...

—Porque, si te interesara, me encantaría fotografiarte.

—¿En serio?

—Claro. No te fotografiaría exactamente así, claro —dice, señalando con un gesto de la mano los exuberantes desnudos que cuelgan de las paredes—. Éste es el estilo de Cat. Yo estoy ahora metido en una serie que supongo que guarda cierta similitud con estas fotos, aunque la atmósfera y las texturas sean distintas. Es un estudio de diferentes partes del cuerpo.

—Ah.

—Como por ejemplo el cuello.

—¿El cuello? —repites, acariciándote el tuyo y sintiéndote enseguida un poco estúpida.

—Para mí existe algo muchísimo más sugerente cuando trasciendes las partes obviamente eróticas del cuerpo. La línea del cuello, el hueco interno del codo o los espacios entre los dedos de unos pies desnudos… Esas partes pueden llegar a ser mucho más sensuales que los propios órganos sexuales. ¿Me sigues?

Asientes, no muy convencida.

—Quizás es algo en la curva de tu clavícula, o la tensión de la pantorrilla. Y todas esas partes del cuerpo en las que la piel raras veces se toca. Las partes que son las últimas en ver el sol. Es ahí donde la piel es más suave. Como aquí —dice, cogiéndote la mano y dándote la vuelta al brazo. Te pasa el pulgar por la piel suave de la cara interna del codo, provocándote un escalofrío—.

Esto es lo que me fascina. —Su voz, levemente grave, se desvanece.

Niega con la cabeza, volviendo de repente en sí, como si acabara de oírse por primera vez.

—Perdona —dice con una sonrisa de disculpa que te pilla por sorpresa y que, al instante, lo transforma de un artista intenso en alguien mucho más abordable—. A veces se me va la cabeza. Lo que acabo de decirte debe de haberte parecido un montón de tonterías. Lo cierto es que soy mejor detrás de la cámara.

—No, de hecho me parece muy interesante. Nunca me lo había planteado así. —Tiene razón, hay algo erótico en esas partes ignoradas del cuerpo.

—¿Y bien? ¿Qué me dices? ¿Dejarías que te hiciera unas fotos?

Niegas instintivamente con la cabeza.

—Oh, no sé. Quiero decir, no estoy muy segura...

—No serían desnudos. Llevarías un albornoz. Y sólo te retrataría desde aquí. —Señala su pecho hacia arriba—. Y quizás un brazo, o la parte posterior de la pierna, si quieres.

Te aclaras la garganta, intrigada y halagada ante la idea de que este hombre te fotografíe. Puede que sea divertido, siempre que nadie sepa que eres tú. Y si no tienes que desnudarte del todo, tampoco sería tan vergonzoso, ¿no? No ocurre todos los días que un famoso profesional se ofrezca a fotografiarte. Siempre puedes pedirle a Melissa que te acompañe. Seguro que le parecerá divertido. O siempre tienes la opción de retirarte educadamente si cambias de parecer en el último momento.

—Claro, ¿por qué no?

—¡Excelente! —dice—. Será genial. Salgamos de aquí.

—¿Cómo? ¿Ahora? —Tu voz suena como un graznido.

—¿Por qué no? Me encantaría huir. Allí hay un crítico de arte que lleva toda la noche amenazando con matarme de aburrimiento.

—Espera un segundo. ¿Cómo sé yo que no eres un asesino en serie que va a colgar fotos de mi cuerpo desmembrado en Facebook? ¿Adónde me llevas?

Se ríe.

—Podemos pedirle a Cat que se reúna con nosotros cuando termine de hablar con toda esta gente, si con eso vas a sentirte más cómoda. Además, necesito su ayuda para desmembrar los cuerpos.

El fotógrafo cede al ver la expresión de tu rostro, saca su cartera y te da una tarjeta de visita. Bajo el apellido Kollwitz y un número de móvil, aparece la dirección de un estudio. Si no te equivocas, está justo a la vuelta de la esquina.

Le das la vuelta a la tarjeta y ves la imagen del rostro de Angel Dean. La reconoces: es una versión en blanco y negro de la que apareció hace un par de meses en la portada de *Cosmo*.

—¿Es tuya?

Asiente.

—Estás de guasa. Pero si ella es tu modelo habitual, ¿por qué demonios quieres fotografiarme a mí?

—Y ¿por qué demonios no iba a querer? —dice.

Lo miras fijamente, con la mente a mil por hora. ¿Deberías aceptar su oferta? Recorres la galería con la mirada, intentando ubicar a Mac y a Cat. Quizá tendrías que quedarte un poco más y echar un vistazo al resto de las fotografías. Aunque, bien pensado, todo esto es para ti un terreno desconocido. Tal vez deberías regresar al bar y tomarte una última copa (y volver a fijarte en el guapísimo barman).

Si decides irte con el fotógrafo, ve a la página 74

 Si decides rechazar su oferta y quedarte en la galería, ve a la página 101

 Si decides volver al bar, ve a la página 222

Has decidido irte con el fotógrafo

Esperas en la oscuridad, en la entrada del estudio, mientras Jan apaga la alarma y enciende un par de luces. Tu corazón late al ritmo de una batucada. No es un completo desconocido, te dices para tranquilizarte. No hay ninguna posibilidad de que sea un asesino en serie. Es un famoso fotógrafo profesional y ha fotografiado a la mismísima Angel Dean, por el amor de Dios. Y sabes que ella sigue viva. Flaca, pero viva.

El resto de las luces parpadean hasta encenderse, dejando a la vista un inmenso espacio despejado de techos altos. A un lado, hay un salón retro en cuero y madera. Las butacas son sólidas y de estilo años sesenta, con brazos que se enroscan formando pequeñas mesitas auxiliares.

El estudio tiene también varias habitaciones pequeñas situadas al fondo con pinta de ser una oficina, una cocina, un cuarto de baño y un cuarto oscuro. Toda una pared es un ciclorama que se eleva hasta el techo.

Mientras merodeas por el estudio, ves una Harley-Davidson *vintage* aparcada en un rincón en sombras. Es negra y cromo, más desgastada que lustrosa.

Señalas la moto.

—¿Es tuya? ¡Es preciosa!

Jan levanta la mirada de una encimera cubierta de material fotográfico: fotómetros, lentes, enchufes, cables y tarjetas de memoria junto con varias cámaras.

—No es más que un elemento de decoración —dice.

Sigues deambulando por el estudio, intentando apartar la mente de lo que te espera. Llegas a un escritorio sobre el que se apilan montones de fotografías y contactos. Hojeas un par y ves un grupo de inmensos Ángeles del Infierno tatuados alrededor de una mujer hermosa y alta repantigada sobre la moto. Es la misma moto que estás admirando. La mujer te resulta familiar. Muy familiar...

—¡Vaya! —sueltas—. ¿No es Alex Khan?

—Sí. Es para la portada de *Face.* —No parece estar fanfarroneando—. No están mal, aunque, si pudiera repetir la sesión, hay algunas cosas que haría de otra manera.

—Caramba. ¿Cómo es?

—Es una delicia trabajar con ella. Una profesional de la cabeza a los pies.

Asientes, con el corazón todavía a mil por hora. Una profesional de la cabeza a los pies. Por supuesto que lo es. Y aquí estás tú, que no tienes ni un pelo de profesional. ¿En qué jardín acabas de meterte? ¿Cómo se te ocurre compararte con Alex Khan? Lo siguiente que te dirá es que es amigo íntimo de Anna Wintour.

Jan pulsa un mando a distancia y una canción dulce aunque animada llena el estudio.

—¿Vino? —pregunta.

—Ay, sí, gracias.

Desaparece en la cocina y oyes el descorchar de una botella. Segundos más tarde, el fotógrafo ha vuelto con dos copas medio llenas de vino tinto.

Entrechocáis las copas y tomáis un trago. Sabe a vino caro.

Él se dirige entonces a su zona de trabajo y elige una voluminosa cámara con aspecto anticuado, sobre todo comparada con la tecnología que la rodea.

—Estaba pensando que será mejor tirar de la vieja escuela —dice—. Nada de digital. Voy a utilizar película de verdad. En blanco y negro. Y gran formato.

Tomas otro sorbo de vino.

—¿Y yo que tengo que hacer?

—Si aún quieres ser mi modelo, hay un par de albornoces en el armario del baño. Por supuesto, si algo te incomoda lo dices.

Te mordisqueas un dedo, vacilante. Ésta es tu oportunidad para que te fotografíe alguien que ha fotografiado a algunas de las modelos más espectaculares del mundo. Pero tú no eres modelo. Quizá deberías volver a la galería y decirle a Mac que no estás hecha para ser la musa de un fotógrafo. O, quizá, después de tantas emociones fuertes, necesites tomarte tranquilamente una copa en el bar.

*Si te quedas y decides hacer la sesión de fotos,
ve a la página 78*

 *Si decides que esto no va contigo y prefieres regresar
a la galería, ve a la página 101*

 Si vuelves al bar, ve a la página 222

Te quedas y decides hacer la sesión de fotos

Como el resto del estudio, el baño es espacioso y está decorado con elegancia. Hay una *chaise longue* de cuero contra una pared, además de una ducha, un retrete, un lavabo y un pequeño armario estilo retro. Una elegante araña negra cuelga del techo, el único objeto de la habitación que no es blanco. Siempre has querido tener una araña así en tu cuarto de baño.

En el armario, encuentras toallas y un par de albornoces doblados. Sacas uno y, cuando te lo acercas a la nariz, la tela suavísima huele a limpio y a fresco, con un ligero aroma a océano.

Te quitas el vestido por la cabeza y te desabrochas el sujetador. Luego te miras al espejo y te tapas los pechos con los brazos, intentando decidir cómo te sientes con todo esto. Y te das cuentas de que no estás sólo nerviosa y entusiasmada, sino también un poco excitada. La idea de que te fotografíe alguien que es prácticamente un desconocido te resulta extrañamente sensual. Quizá sea porque todo esto va tan poco contigo que la simple idea se te antoja tan atrevida como temeraria. Además, Jan ha fotografiado a algunas de las mujeres más icónicas del mundo. No ves el momento de contárselo a Melissa.

Inspiras hondo y después vuelves a contemplar tu cuerpo en el espejo, intentando obviar las imperfecciones que ves en él. Recuerdas que lo que ha dado todo ese erotismo a las fotos de Mac es precisamente su absoluta seguridad en sí misma, el modo en que se ha abierto en canal ante la cámara.

Envalentonada, te quitas el tanga de encaje violeta y te pones el albornoz sobre los hombros. La tela es tan ligera que es casi como si no existiera. Jan no tiene por qué saber que estás totalmente desnuda debajo. Te gusta la idea de guardar un pequeño secreto. Te atas holgadamente el cinturón a la cintura y bajas la mirada hacia tus tacones de aguja...; decides que van a ser lo único que no te quites.

Ya de vuelta en el estudio, Jan ha instalado un par de focos en el ciclorama y está ocupado ajustando la cámara con sus largos dedos llenos de anillos. Te acercas despacio a él y notas que estás como un flan. Así es como debe de sentirse una cuando empieza a arrepentirse de una decisión.

Jan levanta la mirada y te sonríe de manera afectuosa.

—Estaré a punto en un minuto. Ponte cómoda.

Te acercas al taburete de cuero negro que él ha colocado en el centro del ciclorama y te quedas allí durante un segundo antes de sentarte en el mueble, bajándote el albornoz por debajo de las rodillas y cerrándolo sobre el pecho.

Cuando por fin está preparado, Jan se acerca a ti.

—He pensado que podríamos empezar con un par de fotos de tu cuello, desde aquí hasta aquí. —Señala la zona que está entre la parte superior de su pecho y su barbilla.

Asientes, intentando actuar como una profesional.

Luego te da un par de instrucciones con voz reposada y te ayuda a colocarte en tu sitio, con el cuello estirado en toda su extensión y la barbilla sobresaliendo en lo que te resulta un ángulo incómodo, aunque él te asegura que es un encuadre normal.

Se mueve a tu alrededor dando pasos pequeños, como un peluquero, y primero saca un par de fotos con una cámara digital para poder calibrar la luz.

—Toma, echa un vistazo. ¿Qué te parece? —dice, inclinándose a tu lado y mostrándote algunas fotos. Son todas en blanco y negro, la mayoría un superprimer plano. Algunas te hacen tragar un poco de saliva, pero, en general, te cuesta creer lo artísticas que son. En una ves la curva de tu clavícula, y en otra, la redonda colina de tu hombro. Tiene razón: hasta la parte inferior de la barbilla puede ser sensual si está encuadrada y fotografiada de un modo determinado.

Su cuerpo se frota contra el tuyo y tus pensamientos se diseminan. Afortunadamente, está tan concentrado en su trabajo que no parece notar el efecto que su contacto provoca en ti. Quizás es el secreto de estar desnuda bajo el albornoz lo que te tiene un poco caliente y húmeda. Aprietas las rodillas para disimular el leve temblor que las sacude.

En las fotos que has visto hasta ahora, se ve el cuello del albornoz en tus hombros, así que decides sujetarlo castamente entre tus pechos y lo dejas resbalar un poco sobre los hombros para que así no aparezca en las fotos.

Jan saca un par de fotos más con la cámara digital y hace algunos ajustes con la iluminación. Lo ves moviéndose por el estudio, rápido y diestro. «El fotógrafo hace todo esto por mí», piensas, conteniendo la risa.

Cuando por fin parece satisfecho, cambia de cámara y tú posas en serio. Mantienes juntas las rodillas y enganchas los tacones en la barra inferior del taburete. Cada vez que saca una foto, oyes el destello de luz y el clic de la cámara. Hace calor bajo los focos, aunque es una sensación agradable, y, tras los primeros disparos, te metes en tu papel de modelo, siguiendo sus indicaciones, girando más el cuello a un lado y desplazando el ángulo de la barbilla. La cámara actúa como una barrera y ya no tienes tanto la sensación de que no te quita ojo y sí más la de que te está capturando. Con la dulce música de fondo y el destello de los focos, es fácil relajarte y empiezas a sentirte más cómoda.

Además, ser el foco de atención de alguien con una habilidad tan obvia resulta hasta cierto punto excitante. Su atención es a la vez íntima y distante.

De pronto, Jan deja lo que está haciendo y aleja de sí la cámara, escudriñándote. Luego se acerca y te aparta con suavidad el pelo de la cara. Te sientas más erguida y contienes el aliento mientras te toca. Cuando sus dedos te rozan el lado de la cara, se te endurecen los pezones. Vuelves a juntar con fuerza los muslos, sintiendo que se te humedece el coño. No puedes evitar preguntarte si lo que ha hecho habrá tenido el mismo efecto en Alex Khan y en Angel Dean.

Luego retrocede y vuelve a levantar la cámara. Presa de una repentina descarga de valor, sueltas el albornoz y dejas caer los brazos a ambos lados del cuerpo. La prenda se desliza por tu piel, llevándose a su paso el cinturón holgadamente atado, y la sientes resbalar por todo tu cuerpo hasta caer al suelo, arremolinándose a tus pies. Durante la caída, te roza los pezones, poniéndotelos más duros si cabe.

Jan sigue disparando como si nada hubiera cambiado, aunque el retumbo de la sangre que se agolpa en tus oídos es tan ruidoso que dudas de poder oír lo que vaya a decirte. Ganando en descaro, cambias de postura, abriendo las piernas, pero con ambas manos colocadas en la parte delantera del taburete, ocultando tu sexo al objetivo de la cámara.

Los focos siguen destellando con cada disparo. Tragas saliva, inspiras hondo y apartas las manos. Las pones detrás de ti y arqueas la espalda, quedándote totalmente desnuda para él. Estás segura de que la cámara puede ver lo húmeda que estás. Y la idea te moja aún más.

No sabes cuánto tiempo pasas así, moviéndote poco a poco para adoptar posturas minuciosamente distintas. El tiempo se alarga.

* * *

—Fin del rollo —dice Jan, agachándose a recoger el albornoz y dándotelo.

Vuelves a ponértelo y bajas del taburete.

—Tenemos algunas tomas excepcionales —comenta, visiblemente satisfecho—. La cámara te adora.

No estás segura de qué responder. Es tanta la adrenalina que te corre por las venas que ni siquiera puedes hablar.

—¿Qué tal te has sentido? —pregunta.

Te esfuerzas por recuperar el control.

—Increíble —logras decir.

—¿No ha sido tan malo como creías?

—En absoluto.

—¿Te gustaría ver las fotos?

—Claro, pero ¿cómo?

—Tengo un cuarto oscuro, de modo que podemos revelarlas ahora mismo. A menos que tengas prisa por irte, claro.

Lo piensas durante un minuto. ¿Realmente quieres ver cómo han quedado las fotos? Por un momento, te pueden la duda y la timidez. Te cuesta creer lo descarada que has sido, quitándote el albornoz y exponiendo de esa manera tu cuerpo desnudo. Sería mejor que no las vieras. Pero la idea de entrar en un pequeño cuarto oscuro con Jan no deja de seducirte.

Espera: la experiencia ha sido tan irreal que, a decir verdad, en ningún momento te has parado a pensar en que a partir de ahora existen unas fotografías de ti desnuda. Santo cielo. ¿Y si alguien las ve? Te planteas quitarle la cámara y echar a correr hacia la puerta. Aunque un hurto es un poco extremo, como lo es también la idea de largarte vestida sólo con un albornoz robado y tus tacones. Obviamente, si las fotos no acaban de gustarte, podrías intentar convencer a Jan de que te dé los negativos, o, mejor aún, de que los destruya.

Puede que sea preferible echar un vistazo a las fotos primero y después ver cómo lidiar con la situación. ¿O es quizá la ignorancia una bendición? Si es así, tal vez sea mejor que vuelvas a vestirte y regreses a la galería, donde podrás disfrutar mirando pero sin que te vean. Aunque ¿qué piensas hacer con el ardor que has ido acumulando hasta ahora? Siempre cabe la posibilidad de recurrir a Mr. Rabbit, que te espera en casa...

 Si te quedas a ver cómo han salido las fotos, ve a la página 86

 Si vuelves a la exposición, ve a la página 101

 Si quieres regresar a casa y disfrutar de Mr. Rabbit, ve a la página 295

Has decidido quedarte y ver cómo han salido las fotos

Un potente olor a productos químicos impregna el diminuto cuarto oscuro situado en la parte trasera del estudio. Dos de las paredes tienen encimeras abarrotadas de material de revelado, bandejas y botellas. Un cable cuelga entre dos paredes, salpicado de pinzas para las fotos recién reveladas.

Jan y tú estáis codo con codo mientras él manipula grandes botellas y contenedores de plástico con la confianza que da el uso habitual, y vierte distintos productos químicos en una serie de tres bandejas. Si comparas el relajado lenguaje corporal que ves ahora en él con lo incómodo que se mostraba antes en la galería, obligado a mostrarse sociable, es como estar con un hombre totalmente distinto.

—Cada bandeja se utiliza para un paso distinto del proceso —explica—. La primera es para el revelador, esta segunda es para el baño de parada y la última es para el fijador. En fotografía, el secreto está en la iluminación —dice mientras trabaja—. Cuando estás sacando las fotos, la iluminación tiene que ser la adecuada, y luego, cuando las revelas, no puede haber nada de luz. Si se cuela un poco de luz mientras estamos revelando estos negativos, el desastre es total.

Cuando termina sus preparativos, tiende la mano hacia la pared y pulsa un interruptor. Se hace una oscuridad completa y enseguida se enciende una luz de emergencia que baña la habitación con un tenue resplandor rojizo.

En el otro extremo de la encimera, hay una máquina de gran tamaño, y ves cómo introduce en ella el rollo de negativos. En cuanto el negativo ha sido procesado, coge un paquete de papel fotográfico y saca una hoja con cuidado. Su expresión es de concentración, y la luz rojiza le da cierto aire misterioso.

No hay música en la habitación con aspecto de cámara acorazada y lo único que alcanzas a oír es vuestra respiración. La suya es uniforme y lenta; y la tuya, ligeramente más acelerada.

Jan introduce la hoja de papel fotográfico en el líquido de revelado, balanceando la bandeja con suavidad, inclinando primero un extremo y luego el extremo contrario. Constantemente, mira la hora en el gigantesco reloj digital que cuelga de la pared y cuyos números fluorescentes destellan a medida que pasan los segundos.

Finalizado este primer paso, Jan saca el papel del líquido de revelado con unas pinzas y, después de dejar que gotee y se escurra durante un par de segundos, lo introduce con suavidad en la segunda bandeja, inclinándola también para asegurarse de que el papel quede uniformemente cubierto por la solución, todo ello sin perder de vista el reloj en ningún momento. Te mira de reojo y sonríe.

—Ahora verás —susurra.

Te inclinas hacia él y miras en el interior de la bandeja mientras poco a poco la imagen empieza a distinguirse. Contienes un jadeo al ver cómo toma forma. Es un primerísimo plano en blanco y negro de uno de tus pechos. Reconoces la pequeña peca a la derecha del pezón, que está duro y erecto, con la aureola levemente erizada.

Sientes que, de inmediato, tus dos pezones son el claro reflejo de la imagen que tienes delante. No puedes evitarlo: lo coges del brazo y lo aprietas.

—Santo cielo —dices—. Soy yo.

Él vuelve a sonreír.

—Precioso, ¿verdad?

Por fin, saca el papel de la última bandeja, lava la imagen y la cuelga en el cable, sujetando con pinzas ambas esquinas.

Eres incapaz de apartar los ojos de la foto. Sólo has visto tus pechos en un espejo o cuando te los miras desde arriba. Nunca así, de una manera tan artística y detallada. Resulta un poco surrealista, sobre todo bañados como están en esta luz tenue y roja.

Mientras sigues examinando la primera fotografía, Jan prepara el siguiente negativo y repite el proceso empleando las tres bandejas. Una vez más, el único sonido que se oye en el cuarto oscuro es el de vuestra respiración, y quizá sean imaginaciones tuyas, pero tienes la impresión de que la suya se ha acelerado un poco.

Cuando se revela la segunda imagen, se te escapa un grito ahogado. Esta vez es un primer plano de tu cuello. La clavícula traza un ángulo y hay una pequeña perla de sudor en el hueco que está justo debajo. A continuación, tu cuello describe un arco hacia arriba, largo y regio, y tan sólo la curva de la barbilla desaparece por el borde de la imagen en la parte superior de la foto.

—Para mí, ésta es la parte más sensual de tu cuerpo —dice, observándote mientras miras cómo la imagen va definiéndose en la página que está sumergida en la bandeja.

Te tocas el cuello, pasando los dedos por la piel caliente y palpitante.

—¿En serio?

—Totalmente —asegura, poniéndote una mano vacilante en el pecho y pasando su dedo cargado de anillos por el montículo de tu clavícula y hundiéndolo en el hueco que hay al otro lado—. Aquí, exactamente aquí.

Dejas caer las manos, soltando el albornoz que se te abre, y ahí estás, de pie, a su lado, en la oscuridad rojiza, con tus zapatos de tacón y el albornoz abierto. Con un movimiento de ensueño, Jan baja la mano y la mueve después a un lado, rozando con suavidad uno de tus pechos, casi sin tocarlo.

—¡Mierda, la foto! —exclama, mirando al reloj y volviendo bruscamente a sus bandejas.

Enjuga la foto expuesta casi en exceso y la cuelga junto a la imagen de tu pecho.

—Por poco —dice. Vuelve a su trabajo, y, por mucho que te decepcione que no siga tocándote, te entusiasma la idea de ver cómo quedan el resto de las fotos. Jan revela tres o cuatro una detrás de otra. Lo miras en silencio, fascinada por el proceso y por la lotería de imágenes, sin saber en ningún momento qué parte de tu cuerpo está a punto de emerger del líquido. El olor de los componentes químicos es abrumador, pero estás segura de que queda solapado por el de tu propio cuerpo.

Hay una imagen de tu tobillo y del empeine de tu pie sobre el tacón de aguja en la primera bandeja, y otro primerísimo plano, éste de la nuca, en la segunda. Jan la introduce en la tercera bandeja y va moviendo cada una de las fotos al compás, repitiendo ordenadamente el proceso con todas.

No sales de tu asombro al ver lo sensuales que son, incluso aquellas en las que aparece sólo un pie o un codo.

Jan, introduce ahora una hoja de papel en la primera bandeja y una foto de tu coño florece lentamente en el líquido. Incluso en la seguridad que da la tenue luz del cuarto oscuro, alcanzas a apreciar hasta el detalle más íntimo. Brilla, húmedo, en la hoja.

Sueltas, sin pensar:

—¡Dios, estoy mojada!

Jan abandona las fotos que nadan en las bandejas y te coge, empujándote contra una pared. Todavía llevas el albornoz abierto sobre el pecho y él desliza los brazos alrededor de tu cintura, tirando de ti hacia él, pegándote sus manos calientes a la espalda. Notas su erección cuando te besa, sus labios ardientes contra los tuyos antes de que su lengua explore ansiosa tu boca. Dejas que tu cuerpo se aplaste contra el suyo y le pasas los dedos por la parte posterior de la cabeza, hundiéndoselos en el pelo y tirando de él hacia ti.

Entonces Jan baja las manos hasta tu trasero y te agarra de él, levantándote. Le rodeas el cuerpo con las piernas y te niegas a dejar de besarlo. Te lleva así, trazando un semicírculo y dejándote sobre la encimera. Algunas botellas y otra parafernalia caen con estrépito al suelo, algo se rompe, pero os seguís besando, ya habéis ido demasiado lejos para poder parar.

Te empuja la cabeza hacia atrás con una mano y empieza a besarte el cuello de arriba abajo con los dientes y la lengua, y tú sueltas un grito cuando te pone las manos en los pechos y cierra los dedos sobre tus pezones. Sientes el acero de su anillo en el pezón y tiemblas de placer.

Te toma el brazo y lo extiende delante de él. Primero pasa el dedo por la suave piel de la cara interna, como ya lo ha hecho antes, aunque esta vez más íntimamente, y luego baja la boca hasta él y juguetea con la delicada piel, provocando una eléctrica descarga de placer por todo tu cuerpo. Acto seguido, te empuja con suavidad contra la pared y levanta tu pierna derecha, colocando un zapato de tacón en la encimera y dejando tu coño a la vista para su pleno disfrute. Te pasa la mano por detrás y tira de tu trasero hacia delante, de modo que tu pelvis quede lo más cerca posible del borde de la encimera y la parte alta de la espalda y los hombros apoyados contra la pared.

A continuación, te coge la pierna izquierda y pasa el pulgar por la sensible franja de piel de la pantorrilla al tiempo que acerca la boca a tu coño. Gimes cuando empieza a lamerte despacio el clítoris, golpeándolo luego muy suavemente con la nariz al tiempo que brevemente te hunde la lengua en la vagina. Luego te recorre la raja de arriba a abajo. Al llegar arriba, sientes la fricción de su barba incipiente contra la cara interna del muslo y contra tus labios, y la sensación es deliciosa. Dejas escapar un jadeo cuando suma un pulgar a la boca, usándolo para trazar un lento círculo alrededor del clítoris mientras va metiendo y sacando la lengua. Luego cambia de tercio y te mete primero un dedo y luego otro al tiempo que te lame el clítoris con la lengua.

Arqueas la espalda y apoyas la cabeza contra la pared que tienes detrás, todavía sumergida en esa especie de duermevela que da la luz rojiza. Elevas las caderas hacia su boca, pidiendo más, y el placer es exquisito mientras cabalgas sobre su lengua más y más fuerte, cerrando los dedos sobre el borde de la encimera, con los nudillos blanqueados por la tensión. Y entonces ya no puedes evitar gritar mientras te corres, demasiado pronto para tu gusto, pero no hay modo de detenerlo, y te retuerces contra la pared..., y en ese momento todo se vuelve de un blanco cegador. Parpadeas muy deprisa, confusa, preguntándote si es que el orgasmo ha sido tan intenso que te ha dejado ciega.

—¡Joder, mis fotos! —lo oyes maldecir. Tus ojos se adaptan a la luz y te das cuenta de que tienes el panel de luces detrás de ti. Debes de haber pulsado el interruptor mientras te retorcías de placer. De pronto, te sientes muy desnuda en el resplandor y te cubres con el albornoz.

Jan reacciona de golpe, en un intento por salvar las fotos y los negativos, pero es demasiado tarde. Las que estaban en remojo en las bandejas se han borrado por completo, como si tuvieran amnesia y se hubieran olvidado de las imágenes que había impresas en ellas hace apenas unos segundos.

Contempla las bandejas y en su rostro se refleja una inmensa contrariedad. Las dos únicas fotos que han sobrevivido son el primer plano de tu pecho y la elegante toma de tu cuello y barbilla. Podrían ser de cualquiera: la única marca identificativa es la peca que tienes en el pecho, aunque sólo tú y un puñado de personas más la reconoceríais.

—Y ¿qué pasa con el resto de los negativos? —preguntas.

—También se han velado —dice.

Te bajas de la encimera con esa sensación típicamente postorgasmo en las rodillas, como si fueran de gelatina.

—Debo de haber pulsado el interruptor de la luz con la espalda —dices, rodeándolo entre tus brazos—. Lo siento mucho.

Él te envuelve entre los suyos, buscando tu boca de nuevo con la lengua, y el beso es tan apasionado que te sientes perdonada. Luego apoya levemente la barbilla sobre tu cabeza.

—Lamento que no hayas podido ver todas las fotos que hemos sacado.

—No te preocupes, he visto suficiente —dices—. Yo también siento que no hayas podido ver tus fotos.

—Al menos, he podido ver las tomas en vivo y en directo desde detrás de la cámara. —Desliza un dedo por tu mejilla y te planta un beso cariñoso en la frente—. Y también hace un momento disfruté de un primerísimo plano. Cuánto me gustaría tener memoria fotográfica.

Te sonrojas intensamente.

—Vamos, salgamos de aquí antes de que las emanaciones de estos líquidos terminen de colocarnos del todo.

* * *

De regreso al estudio, te desplomas en un sofá, un poco mareada. La erección de Jan es monumental y un bulto enorme pugna por salir de la bragueta. La idea de otro asalto se te antoja tentadora. ¿Deberías quedarte y ver qué es lo que puede ofrecerte? ¿O te parece que ya has tenido suficiente sexo salvaje por esta noche? Quizás haya llegado la hora de salir de aquí.

 Si decides quedarte y terminar lo que has empezado, ve a la página 96

 Si prefieres marcharte, ve a la página 281

Has decidido quedarte y terminar lo que has empezado

Jan atenúa las luces del estudio y va a la cocina a buscar la botella de vino. Tú te acercas a la moto y pasas el dedo por el suave depósito cromado. Te das cuenta entonces de que está atornillada al suelo y de que tiene un pequeño armazón que la sostiene en pie para impedir que vuelque, así que pasas una pierna por encima y te sientas en el sillín. Sientes el cuero frío entre las piernas, que siguen irradiando un calor postorgásmico.

Jan aparece a tu lado, deja el vino en el suelo y enciende el ventilador de potencia industrial que utiliza para sus sesiones de moda.

—Siente el viento en el pelo, como si fuera real —dice, moviendo el ventilador para que te dé de lleno.

El chorro de aire te aparta el pelo de la cara de golpe y te despoja del albornoz, que se eleva tras de ti como la capa de un superhéroe, volviendo a dejar a la vista tu cuerpo desnudo. Se te eriza la piel, chillas y coges los bordes del albornoz. Jan mueve el ventilador, dirigiendo el chorro de aire hacia un punto situado a tu espalda y no directamente sobre ti. Agarrada al largo manillar, te desplazas tan adelante sobre el sillín como te es posible para hacer sitio detrás.

—¿Te llevo? —preguntas.

Jan sonríe, sopesando su respuesta.

—Y ¿adónde piensas llevarme? —pregunta, rodeándote la cintura con las manos y sujetándose con fuerza.

—Hasta el final, si estás de suerte —dices, y, aunque cursi, te gusta tu respuesta, y también te gusta la sensación de estar entre sus brazos, con su cuerpo muy pegado al tuyo. Y, si no vas muy desencaminada, notas su erección presionando contra tu espalda, lo que resulta muy difícil de pasar por alto. Decides que es hora de apiadarte de él, así que bajas con cuidado de la moto, te vuelves y subes otra vez, esta vez de cara a él.

Jan se inclina hacia ti, besándote con avidez. Te pasa las manos por detrás y tira de ti hacia él hasta sentarte sobre su regazo, de modo que quedas a horcajadas sobre él con los pies entrecruzados a su espalda sobre la parte trasera de la moto. En cuanto sientes su dura verga contra ti, vuelves a excitarte.

Bajas las piernas y le pones la mano en el paquete, le desabrochas frenéticamente la hebilla y los botones del vaquero, y descubres que no lleva calzoncillos. La polla emerge de sus pantalones y la acaricias con la mano. Jan gime con fuerza en cuanto lo tocas, y se empalma aún más cuando le envuelves la polla con la palma y mueves la mano arriba y abajo, recorriéndole la verga por completo y sintiendo una vena latiendo contra tu palma como un ser con vida propia.

—Te quiero dentro de mí —susurras, y él, que no necesita una segunda invitación, te sujeta con una mano y busca la cartera que lleva en el bolsillo trasero del vaquero con la otra. Logra abrirla y rebusca en su interior hasta que logra sacar un condón mientras tú le muerdes el cuello sin dejar de acariciar su erección, ahora de una dureza descomunal. Jan suelta la cartera, dejándola caer al suelo, y rasga el envoltorio con los dientes. Le quitas el condón y se lo pones con las dos manos, deslizándolo sobre su polla.

Incapaz de esperar un segundo más, te empuja hacia atrás y levanta tus pies enfundados en los zapatos de tacón de aguja hasta ponérselos sobre los hombros para así tener pleno acceso a ti. Luego te recorre varias veces el coño con el dedo.

—¡Fóllame! —le apremias, y él te mete la polla.

Te penetra hasta el fondo y gimes de placer. A continuación te chupa, te muerde y te vuelve a chupar el cuello mientras te monta, despacio al principio, para después ir ganando velocidad, hasta que te embiste, cada vez con más fuerza. Y te das cuenta de que él está a punto de correrse y de que tú vas a tardar un poco más. Pero esta noche ya has tenido un orgasmo de proporciones estratosféricas y notas lo a punto que está él, así que bajas tus piernas de sus hombros, te incorporas, pegándote a su torso, y le susurras al oído, rozándole la oreja con los dientes:

—Córrete. Quiero que te corras.

Y él no puede contener un grito cuando se corre, y tú le clavas las uñas en la espalda y sientes cómo se le contraen los músculos bajo la camisa mientras se estremece, rindiéndose a un potente orgasmo.

Con él todavía dentro, te reclinas sobre el depósito de la moto con una de esas sonrisas de gato satisfecho. Él se inclina hacia delante, dejando caer la cabeza a un lado sobre tu pecho desnudo, jadeante.

* * *

Más tarde, cuando el taxi se aleja del estudio y Jan se despide de ti con la mano desde la puerta, piensas que quizá que se hayan velado las fotos tampoco haya sido tan malo, al fin y al cabo. Ibas a tener fotografías de ti desnuda tomadas por un cachondo fotógrafo profesional que ha fotografiado a algunas de las superestrellas más importantes, pero ahora jamás tendrás que preocuparte de si aparecen en Internet cuando menos te lo esperes. Esta noche has tenido mucha suerte, en más de un aspecto. Es hora de disfrutar del confort de tu casa, con un DVD y unas palomitas. O quizá deberías pasar a ver a Melissa. Te mueres de ganas de contarle la noche que has pasado.

Si te vas directa a casa, ve a la página 258

 Si decides pasar a ver a Melissa, de camino a casa, para contarle tu noche salvaje, ve a la página 291

Has decidido quedarte en la galería o volver allí

La mayoría de los asistentes se han ido de la exposición y estás en la sala con una copa casi vacía de un champán cualquiera, examinando una de las fotografías. Ahora que por fin has podido acostumbrarte a ellas, ya no te resultan tan atrevidas. Estás un poco perpleja por la rapidez con que te has vuelto indiferente a la contemplación de las partes íntimas de otra mujer.

Mac reaparece junto a ti y se te encoge el estómago.

—Hola de nuevo. ¿Te lo estás pasando bien? —Te mira de soslayo con esos extraordinarios ojos suyos—. Por lo que he visto, parece que Jan y tú os lleváis de perlas.

—Hum, sí, creo que se ha marchado a su estudio.

—Es imposible contarle lo que ha ocurrido con Jan. De hecho, te cuesta cierto esfuerzo creértelo.

Inclinas tu copa y te das cuenta de que está vacía.

Mac te mira sin pestañear y esboza una media sonrisa.

—¿Te apetece una copa de champán decente y no estas burbujas de pacotilla que sirven aquí? Tengo una botella de algo realmente delicioso enfriándose arriba. La estaba reservando justo para una sed como ésta.

Tienes la boca seca y la idea de tomar champán helado es muy tentadora. La perspectiva de pasar un rato con Mac también te tienta, aunque esta mujer te intimida un poco. Quizá deberías ser precavida y regresar al bar. Siempre queda la posibilidad de tomar champán con ese guapo barman en vez de hacerlo con Mac. O quizá sea hora de dar la noche por terminada.

 Si decides aceptar la propuesta de Mac, ve a la página 103

 Si prefieres volver al bar para flirtear con el barman guapo, ve a la página 222

 Si decides irte directa a casa, ve a la página 258

Has decidido aceptar la propuesta de Mac

Mac introduce una llave en una maciza puerta de madera y la sigues hasta un espacio cálido, perfumado y sombrío. Avanza deslizándose, pulsando interruptores, y las lámparas vuelven a la vida a su paso, mostrándote el apartamento más exótico que has visto en tu vida. Casi cada centímetro de las paredes de color verde lima está cubierto de fotografías, grabados, iconos y carteles. Hay una Virgen Negra en una alcoba, con una ristra de cuentas de *Mardi Gras** al cuello y un ramillete de amapolas frescas en un jarrón a su lado. Ves el famoso cartel del Che Guevara en la pared, aunque alguien le ha pintarrajeado la boca con un pintalabios de color rojo fuego y le ha pegado unas pestañas postizas.

Hay una pequeña cocina en un rincón, con una cesta llena de conchas en la encimera, y una habitación con una inmensa cama en la que se amontonan coloridos cojines en una esquina y una mesa de dibujo debajo de la ventana. Los pies de Mac taconean en el suelo de tarima, entre extensiones de alfombras, algunas mullidas y pálidas, otras espesas y rojas. Hay algo extraño en el sonido que hacen sus zapatos contra el suelo y se lo comentas.

---

* En francés, el martes de Carnaval. *(N. de la T.)*

—Ah, es que llevo zapatos de flamenco. Como debajo sólo está la galería, puedo practicar mis sevillanas siempre que quiero.

Te sientes cada vez más como Alicia cayendo por la madriguera del conejo. ¿De qué está hablando?

—Te había prometido champán, ¿no? —Se vuelve hacia la nevera y saca una botella. Aunque no seas una experta en el tema, enseguida te das cuenta de que es champán del bueno. Sus manos fuertes trabajan con celeridad y descorchan la botella con delicadeza. El líquido de color pajizo espumea y llena con él dos altas copas.

—A tu salud. —Mac arquea una ceja cuando entrechocáis vuestras copas. ¿Por qué todo lo que sale de la boca de esta mujer suena como si quisiera decir algo sugerente?

El champán está frío y tiene un ligero sabor herbáceo; te relajas un poco. Mac se dirige hasta un ordenador portátil que está encima de la mesa de dibujo y teclea algo. Al minuto siguiente, los acordes de una guitarra desgarran el silencio de la habitación. Es un sonido relajante... hasta que una voz masculina empieza a cantar y unas manos invisibles tocan las palmas.

—Es cante flamenco —aclara Mac—. Forma parte de la tradición del flamenco, junto con la bailaora y el guitarrista. Históricamente, siempre ha girado en torno a la pasión. Pero ¿por qué no te sientas y te lo enseño?

—¿Enseñarme qué?

Sus pies marcan un raudo tatuaje en el suelo, una nebulosa de pasos precisos.

Parpadeas.

—¿Vas a ponerte a bailar? ¿Ahora?

—¿Por qué no? Hoy es una noche perfecta para el baile. Por favor, ponte cómoda.

Miras alrededor, pero, aparte de la silla de oficina que está delante de la mesa, no hay dónde sentarse. Retrocedes hasta la cama y te sientas en el borde. Aunque lo que más te apetece en este momento no son exactamente espontáneos estallidos de música y baile —para eso están los musicales—, ¿qué es lo peor que puede ocurrir?

Mac se mueve hasta el centro de la habitación y aparta con el pie algunas alfombras. Despacio, coqueta, se quita las joyas y pone las cadenas, los colgantes y las pulseras en la encimera de la cocina, pero se deja puestos los pendientes.

Entonces su cuerpo se tensa y parece ganar altura. Despacio, sus brazos se levantan, curvándose sinuosamente sobre la cabeza y las muñecas y los dedos describen pequeños círculos. Mac arquea la espalda y sus pechos se elevan, inflamados. Entonces estalla, clavando los tacones en el suelo y empezando a zapatear al ritmo de los frenéticos acordes de las guitarras, y sus pies se mueven tan deprisa que resulta imposible ver cada uno de sus pasos por separado.

Te quedas de piedra. El tiempo se ralentiza. Jamás en tu vida has visto nada semejante. Mac gira y gira, con los brazos en alto, marcando un complejo ritmo con los pies, mientras su culo redondo se estremece con cada paso. Se coge la falda y la agita a un lado y a otro. Unas gotas de sudor le salpican la clavícula desnuda y empiezan a correrle entre los pechos. Por cómo se mueven y rebotan bajo la ajustada tela de encaje del top, está claro que no lleva sujetador.

Por fin, la música se ralentiza y los pies de Mac también. Luego se agacha de tal modo que es casi un milagro que sus pechos no sobresalgan del top. Finalmente se acerca zapateando a la cocina para tomarse un vaso de agua de un trago, el hechizo se desvanece y entonces empiezas a aplaudir.

Mac agarra la botella de champán y se desploma en la cama junto a ti, respirando agitadamente.

—¡Ha sido increíble! Estoy impresionada.

—No es sólo una forma de arte antigua, es también un ejercicio absolutamente increíble —dice—. ¡Pero me pone a mil!

Antes de que puedas pensar a qué se refiere exactamente, coge el dobladillo del top y se lo quita por la cabeza. Sus pechos rebotan, quedando a la vista, más grandes y pesados de lo que esperabas, pero firmes y turgentes. Los pezones de color chocolate se yerguen, duros, en medio de sus aureolas más blandas.

Te sientes como un pez fuera del agua, pero mientras te devanas los sesos intentando dar con el comentario apropiado («Ejem, ¿te has dado cuenta de que acabas de quitarte el top?»), ella se vuelve hacia ti de nuevo con esa mirada directa.

—¿Te apetece tocarlos?

La idea te tienta, pero todo esto te sobrepasa un poco. La música salvaje, el baile, los pechos desnudos de otra mujer... y ahora ella quiere que se los toques. Estás intrigada y un poco excitada, pero también nerviosa. Una parte de ti desea quedarse y ver lo que ocurre —¿cuándo volverás a tener una oportunidad como ésta?—, aunque quizá sea mejor que inventes una excusa y te largues antes de meterte en un lío. Podrías pasar por el bar a tomarte la última copa. Al menos, ése es un terreno conocido.

 Si decides quedarte y ver qué ocurre, ve a la página 108

 Si todo esto te sobrepasa y decides regresar a la seguridad del bar, ve a la página 222

Has decidido quedarte y ver qué ocurre

—¿Te gustaría tocarlos? —insiste.

Vaya, no se anda con rodeos. Estás anonadada.

—Es que no soy... hum... Vamos, que nunca he..., o sea, que no tengo esa inclinación...

—No te he preguntado si eres lesbiana. Sólo te he preguntado si quieres tocar. —Sonríe de oreja a oreja, levanta sus brazos fuertes y torneados y se entrelaza las manos tras la cabeza—. Prometo no morderte. Bueno, al menos no todavía.

Tienes que reconocer que estás fascinada. Y sus tetas son realmente sabrosas.

—Ven. —Mac te coge una mano y tira de ella con suavidad. No se la lleva al pecho, sino que la coloca justo debajo, sobre las costillas. No puedes evitarlo: tu mano se desliza hacia arriba, ahuecándose, y el peso de su pecho cae en ella con la facilidad de una fruta madura. Es mucho más blando de lo que parece, y la piel tiene una delicada textura. Lo aprietas suavemente y te ves recompensada con la sensación de su pezón endureciéndose como un diamante contra tu palma.

Suelta un pequeño suspiro de satisfacción.

—El otro está poniéndose celoso.

Ahora tiendes ambas manos, pasando los dedos sobre su piel caliente y explorando las sedosas curvas. Tímida primero, y más atrevida después, le masajeas los pezones con los dedos, intrigada por el modo en que responden a tu contacto.

—Muy bien —ronronea Mac, reclinándose contra el montón de cojines—. Y ¿qué tal con la boca?

A pesar de que te sientes rara, no quieres parar. Te inclinas sobre su torso y te detienes.

—Ejem, no sé cómo...

—Deja que te enseñe. Relájate... —Se incorpora y te llega entonces el olor de su piel. Unos dedos hábiles deslizan los tirantes de tu vestido sobre tus hombros. Con la misma facilidad con que se pela un plátano, te desnuda hasta la cintura, enrollando la tela de tu vestido sobre tu cuerpo y el sujetador con él. Tiritas debido a los nervios y al sentir el aire en tu piel expuesta, pero, antes de que te dé tiempo a pensar, Mac se inclina y cierra la boca sobre uno de tus pezones. Oh, Dios. El doble impacto —«Tengo a una mujer chupándome el pezón» y la repentina descarga de placer— te deja sin habla. Su boca está caliente y húmeda, y la lengua resbala y golpetea, y te da igual quién lo haga, porque la sensación es fantástica.

Apenas te das cuenta de que Mac recuesta con cuidado tu espalda sobre los cojines y se inclina sobre ti. En lo único que piensas es en la boca que viaja de un pecho a otro, y a continuación en los fuertes dedos, que amasan, tironean y acarician. El tiempo se estira y, como si estuvieras muy lejos, te oyes a ti misma emitiendo leves gimoteos.

Sin previo aviso, Mac se incorpora.

—¿Qué ocurre? —No quieres que pare.

—Chica, llevamos demasiada ropa encima. Como debes de haber comprobado abajo, me siento más cómoda desnuda que vestida.

¡Hala! ¿Querrá decir eso lo que imaginas? ¿Estás preparada para algo así? Pero Mac ya te ha quitado la falda. En cierto modo, no te sorprende que no lleve ropa interior, ni la joya roja que parpadea en su ombligo, pero lo que sí te deja sin palabras es su depilado montículo, que queda ahora totalmente a la vista. Mac está de pie junto a la cama, sólo con los pendientes y sus zapatos negros de flamenca.

La miras de hito en hito, incapaz de apartar la mirada de su coño afeitado.

—Yo… Pero en las fotos… Quiero decir que no estabas… —alcanzas a decir.

—Me gustan los cambios. A veces, me lo dejo sin afeitar y otras me lo afeito. Y esta noche ésta es la mejor elección. Así puedes verlo t-o-d-o. —Sus ojos se entrecierran mientras alarga la última palabra. Y, antes de que puedas procesar la información, añade—: Creo que tenemos que terminar de quitarte ese vestido, ¿no?

—Te incorporas también, moviéndote para acomodarla mientras ella coge el dobladillo del vestido y te lo quita por la cabeza. Enseguida se desembaraza de tu sujetador, que está ahora en algún lugar alrededor de tu cintura, y vuelve a empujarte hasta que quedas recostada sobre la cama. Sus ojos brillan a la luz de la lámpara mientras te mira desde arriba; ahora sólo llevas el tanga violeta y los zapatos de tacón.

—Ajá —ronronea—. Sabía que había un tigre debajo de esa sobria apariencia. —Acto seguido, desliza un dedo bajo el elástico de tu tanga y empieza a bajártelo.

Oh, Dios. Estás en un punto de no retorno. Estás en la cama con una mujer desnuda que te está quitando lo que te queda de ropa.

De lo que no hay duda es de que una parte de tu anatomía está más que dispuesta. Cuando Mac te desliza el encaje por debajo de los muslos, sientes que estás tremendamente excitada, y ella lo sabe: tienes las bragas empapadas y ella se ríe entre dientes.

—Algo me dice que vas a saber muy dulce, chica.

Notas un inconfundible gozo al oírla y te relajas cuando ella empuja un suave y cálido muslo entre tus piernas. Pero no toca ninguna parte de ti, sino que, por el contrario, se inclina sobre tu cuerpo a cuatro patas y ordena:

—Cierra los ojos.

Obedeces, y al instante siguiente su cálida boca se cierra sobre la tuya. «Oh, Dios mío, oh, Dios mío. Me estoy besando con otra mujer», pasa por tu cabeza durante un nanosegundo antes de notar lo suave que te parece su boca comparada con las de los hombres a los que has besado. Sabe a canela y al ligero toque herbáceo del champán. Sus labios se pegan a los tuyos y su lengua se mueve en pequeños espasmos hasta deslizarse en tu boca. Mac no se arredra ante nada: tironea, chupa y ladea su boca contra la tuya, abriéndote a ella al tiempo que te acuna la cabeza con los dedos.

—Yo... no sé si...

Cuando se para a tomar aire, todavía encima de ti, la cabeza te da vueltas. Tiendes la mano hacia su rostro y lames suavemente el lunar que lleva intrigándote desde el principio de la noche. Notas cómo se le mueven los músculos de la cara cuando sonríe, pero enseguida se aleja un poco de ti.

—Si nunca te has acostado con una mujer, hay algo que debes saber. Nadie te lo come como otra mujer. ¿Quieres que te lo demuestre?

No puedes hablar. Tan sólo eres capaz de mirarla, fascinada, mientras ella te recorre el torso con la lengua hacia el vientre. Su cabello resbala sobre tu piel, provocando pequeñas descargas al pasar. Ves cómo se te eriza la piel y cómo se te endurecen los pezones a medida que ella va bajando más y más.

De pronto, sientes vergüenza. No tienes *piercings* sexys ni tampoco ninguno de esos atrevidos tatuajes, y, en cuanto al vello de tu entrepierna, sólo te haces las ingles muy de vez en cuando para ponerte el biquini. Jamás has tenido el valor para ir un paso más allá y hacer algo más drástico. Su lengua te recorre el ombligo y en ese instante te vence el pánico. Pero antes de que puedas decir nada, sientes sus manos separándote las piernas y luego el increíble chorro de aire de su aliento sobre tu coño.

Te tensas, ávida, nerviosa y violentamente curiosa, intentando anticipar lo que ocurrirá a continuación, antes de soltar un grito ahogado y convulsionarte, impotente: Mac se dedica ahora a tu clítoris con absoluta precisión y lo está chupando, primero con delicadeza y después sin miramientos. Sus labios suaves y mojados lo recorren rítmicamente mientras tú te retuerces, intentando adaptarte a la intensidad de las sensaciones que te recorren.

—Oh, Dios. ¡Esto es demasiado! —jadeas, y el chupeteo enloquecedor se calma. Al segundo siguiente, sientes su lengua caliente, que notas enorme, separándote los labios del coño. Con sus dedos te los separa aún más al tiempo que lame la pegajosa humedad, mezclando tu jugo y su saliva sobre tus muslos.

Todo tu mundo está ahora concentrado en su lengua, que te saborea, lamiendo el orificio de tu coño y tus labios muy despacio. Luego empuja, abriéndose camino dentro. La sensación es abrumadora y vuelves a jadear. Despacio, la lengua de Mac se retira y asciende para volver a paladear tu clítoris, aunque esta vez sus dedos nudosos se introducen dentro de ti. No es delicada, y el contraste entre la suave y habilidosa danza de su lengua sobre tu clítoris y las potentes embestidas de sus dedos hace que gimas y te retuerzas, mientras sientes cómo se te contraen los músculos, anunciando ya el orgasmo.

Y, de pronto, te quedas desolada. Mac se ha retirado, dejándote agitando las caderas, y la reclamas con las manos.

—No pares, no puedo... No puedes ahora...

Se tumba encima de ti, inmovilizándote con su cuerpo caliente y fuerte y abriéndote a la desconocida sensación de tener unos pechos contra los tuyos, y su piel suave y blanda.

—Chica, si dejo que te corras ahora, puede que quieras largarte demasiado pronto. Y tengo pensadas un montón de cosas que quiero hacer contigo esta noche.

Rueda a un lado y se queda tumbada a tu lado.

—¿No te apetecería familiarizarte con mi coño?

Utiliza la palabra sin tapujos, y eso te excita.

—Yo... no sé...

—Oh, vamos. Te he visto mirar en la galería. ¿Alguna vez has tenido la oportunidad de mirar así a otra mujer?

Tiene razón: sientes curiosidad por esos pliegues de color rosa intenso y lila chocolate que has visto en la galería. Mac interpreta tu silencio con acierto, se reclina sobre las alfombras y se abre de piernas con la facilidad de una bailarina. Gateas entre ellas, jadeante, sintiendo todavía la densa acumulación de presión sexual que te palpita en el bajo vientre y la pelvis.

—¿Qué hago? Quiero decir, ¿qué quieres que...? ¿Tengo que...?

—Sólo mira. Y, si quieres, puedes tocar. Y, si eso te gusta, puedes saborear.

Bajas la cabeza entre sus piernas y echas una larga y atenta mirada. Es de nuevo como en la galería, salvo que en esta ocasión casi puedes saborear su olor. Su montículo es de un color rosa cacao. Tiendes un dedo vacilante y descubres que la piel es resistente, suave y elástica.

Deslizas los dedos un poco más abajo. Los labios de Mac están inflamados y tiene húmedos los bordes ligeramente dentados. Tocas, vacilante, y deslizas un dedo entre ellos para separarlos. Brillan, mojados, resplandecientes en la tenue luz como el interior de una concha rosa. Y ves entonces la perla del clítoris bajo la capucha de piel: es de un rojo intenso y palpita levemente. Con sumo cuidado, con gran delicadeza, lo lames.

Notas el clítoris sorprendentemente duro bajo la lengua, como una pequeña bola de carne, y vuelves a lamer. Mac gime, y eso te da un poco más de confianza.

Hum, ¿qué deberías hacer ahora? Lames más ávidamente, barriendo con la lengua arriba y abajo entre sus labios. El sabor te resulta condenadamente sensual, como lo es también el jugo que te impregna la boca. Tienes la cara a un centímetro de su vagina y también eso despierta tu curiosidad. Empujas despacio con las yemas de los dedos la abertura oscura que media entre sus labios carnosos antes de juntar dos dedos e introducírselos. Hay una resistencia momentánea y titubeas —¿y si le haces daño?—, y, de pronto, sientes que su envolvente coño se cierra sobre ellos. Mac está suspirando y arqueando las caderas rítmicamente, de modo que algo debes de estar haciendo bien. Intentas adaptarte a su ritmo y ella empieza a soltar gritos breves y entrecortados como los que has soltado tú antes. Tu necesidad no satisfecha vuelve a palpitar en tu coño.

Entonces Mac alarga el brazo y cierra una mano alrededor de tu muñeca, poniendo freno al movimiento de tu mano.

—Perdona, ¿lo estoy haciendo mal?

—No, lo estás haciendo genial. Pero te quiero aquí, conmigo, cuando me corra.

Te desplazas hasta quedar tendida a su lado y ella se queda tumbada, vuelta hacia ti, con una pierna sobre la tuya. Te coge una mano y se la lleva al pecho. Luego la desliza entre sus piernas y empieza a mover en círculos el índice sobre su clítoris. Durante un minuto, te sientes decepcionada... hasta que su otra mano se desliza entre tus piernas y sientes entonces sus diestros dedos haciéndose eco de sus propios movimientos. Marca un ritmo en tu clítoris y te introduce entonces dos dedos. Ahí abajo eres prácticamente un humedal... En cualquier momento van a declararte zona protegida.

—Tú también. Inténtalo.

Captas el mensaje y bajas la mano hasta su coño. Imitando sus movimientos —cosa harto difícil, porque la sensación de tener sus dedos entrando y saliendo de ti, frotándote el clítoris y masajeando el punto exacto, es demasiado abrumadora—, la follas con los dedos y le masajeas el clítoris.

Estás casi a punto de correrte, pero Mac se da cuenta y unas veces retira la mano y otras suaviza la presión. Y de repente se le dilatan las pupilas. ¿Ha llegado el momento? Se le cierran los ojos de golpe, echa la cabeza hacia atrás sobre la almohada y grita. Sientes cómo su vagina se contrae y se relaja alrededor de tus dedos, a una velocidad increíble, casi como si revoloteara, escupiendo jugo caliente sobre tu palma. Su columna se arquea de tal modo que la espalda se separa de la cama sacudida por un espasmo tras otro.

Entonces se hace el silencio en la habitación, un silencio que sólo quiebran sus jadeos. Tienes sentimientos encontrados: estás orgullosa de ti misma por haber provocado en Mac un orgasmo tan intenso, y, a la vez, ardes en deseo y estás un poco ansiosa: ¿qué pasa contigo?

—Tranquila, chica, ahora te toca a ti. —Es como si te hubiera leído el pensamiento.

Retrocede hasta quedar sobre ti, con el pelo y la mirada encendida. Te empuja las rodillas hacia arriba, separándotelas, y se agacha sobre tu coño. Te introduce los dedos, volviendo a retomar el ritmo. Estás tan cerca que sientes cómo la tormenta se forma en tu interior al tiempo que tus caderas se levantan de la cama... y, en ese momento, Mac se agacha del todo y cierra la boca sobre tu coño, lamiéndote los labios con su fuerte lengua y haciéndola girar sobre tu clítoris.

Enloqueces de gozo: la intensidad de las sensaciones te recorre como el champán burbujeando por tus venas, y el estallido de tensión, los gloriosos espasmos de placer te sumen en el delirio. Casi pierdes el conocimiento. Y, sumida en esa nebulosa, apenas eres consciente de que corcoveas como un caballo salvaje y de que gritas a todo pulmón.

Despacio, la habitación deja de dar vueltas. El fragor que te inunda los oídos es tu propia sangre palpitando. Notas los miembros pesados. Tienes el coño empapado y notas los muslos pegajosos, cubiertos de tus jugos.

Mac se levanta —sigue llevando los zapatos de tacón negros— y tú te sientes un poco perdida, pero ella está sirviendo más champán. Vuelve a la cama y se acurruca junto a ti como un gato grande antes de entrechocar tu copa con la tuya.

—Felicidades. Tu primera vez con una mujer. ¡Y te has corrido con nota!

Te ríes. Estás muy satisfecha por el lento latido que te ocupa todavía la parte baja del cuerpo como para preocuparte de lo extraño de la situación. Demonios, ¡el propio Che Guevara disfrazado de mujer acaba de ver cómo una mujer te comía el coño!

Pasan los minutos mientras tu respiración recupera la normalidad. Por fin, Mac se incorpora, toma tu rostro entre sus manos y te da un beso, primero en la boca y después en la frente.

—Ha sido fantástico —dice—. Ahora ya sabes dónde vivo, así que ven a verme cuando quieras. Quizá la próxima vez, si la hay, hasta podrías conocer a mi novia.

—¿Qué? —Estás perpleja—. ¿A tu novia? Pero yo creía que...

—Oh, vamos. ¿Acaso creías que iba a hacer de ti una mujer honrada?

Te sientes idiota.

—No…

Te acaricia el pelo en un gesto extrañamente maternal.

—No seas tonta, chica. Ha sido genial, pero no eres lesbiana, ¿me equivoco? —Se inclina hacia atrás y te repasa con la mirada—. Aunque, desde luego, tienes un gran potencial.

—Pero ¿por qué…? Quiero decir, si tienes a alguien…

—Daniella vive en otra ciudad. Es socia de un importante bufete de abogados. Y mi compañía de danza tiene su sede aquí. A las dos nos encanta nuestro trabajo, así que tenemos una relación a distancia. Ya hace cinco años que estamos juntas. A veces es duro, pero tampoco está tan mal. Tiene ciertas ventajas…, como lo de esta noche.

—¿Vas a contárselo?

—Por supuesto. Hasta-el-último-detalle. No sabes lo caliente que se va a poner.

Te sonrojas hasta ponerte escarlata. Santo Dios, menuda estúpida estás hecha. Te han conquistado para que una pareja pueda compartir historias excitantes. Bajas la cabeza mientras empiezas a buscar tu ropa desperdigada debajo de la cama.

Mac te coge del hombro.

—Sé lo que estás pensando. Pero esta noche has salido de casa con tus bragas de niña mayor, ¿no? —Sostiene en alto el tanga violeta, haciéndolo girar alrededor del dedo—. Enseguida me he dado cuenta de que eras hetero, pero también he visto que tenías ahí un coñito hambriento. Y eres preciosa, por no hablar de esa piel exquisita que tienes y de tu mirada de ojos enormes. ¿Cómo habría podido resistirme?

Dejas escapar un pequeño gruñido, pero tiene razón. Puede que te hayas follado a una mujer y que te haya encantado, pero no está en tus planes cambiar por completo de vida, salir del armario delante de tu familia y amigos, mudándote con ella y discutiendo las vacaciones familiares juntas. Esta noche te has paseado por el lado salvaje, y, chica, salvaje lo ha sido un rato.

Recobras la compostura y le dedicas a Mac una sonrisa acuosa. Luego das por fin con tu vestido y te lo pones sin preocuparte del sujetador, que te metes en el bolso. Tiendes la mano para que te devuelva el tanga y ella deposita en él un beso antes de ponértelo en la palma de la mano.

—Te acompaño a la puerta —dice, levantándose, todavía desnuda del todo salvo por los zapatos de tacón. Mientras cruzas tras ella la habitación, observando su espalda con forma de violín, su ondulante trasero y las torneadas piernas, sientes una oleada de deseo en tu tierno coño. En el minúsculo recibidor, Mac se pega contra ti y vuelve a meterte la lengua en la boca. No te resulta extraño, sino fantástico, y le devuelves el beso con auténtico entusiasmo y gratitud.

Le brillan los ojos.

—Vete, anda, antes de que volvamos a empezar. Hum, quizá podríamos organizar un trío la próxima vez que Danni esté en la ciudad...

El comentario te devuelve la cordura.

—Vale. Ejem... Gracias. —¿Cuál es la etiqueta para esta clase de situaciones? «¿Gracias por haber sido la primera mujer que me come el coño?» «¿Gracias por el fantástico orgasmo de mujer con mujer?»—. Ha sido genial. Más que genial. Pero..., y no quiero que te lo tomes a mal..., no creo que vuelva.

Se ríe.

—Lo que tú digas, chica. —Y, acto seguido, estás tambaleándote escaleras abajo sobre tus piernas temblorosas y con el coño todavía palpitándote levemente. Cuando llegas a la calle, caes en la cuenta: en ningún momento te ha preguntado tu nombre.

La idea de disfrutar de tu sofá, con un DVD y unas palomitas, te resulta de pronto muy apetecible. O podrías pasar por la cafetería del barrio que está abierta hasta tarde a comprarte un chocolate caliente de camino a casa.

Para ir directa a casa, ve a la página 258

 *Si todavía no estás dispuesta a irte a casa,
ve a la página 281*

 *Para irte a casa pasando por la cafetería del barrio,
ve a la página 283*

Has decidido compartir un taxi
con el hombre maduro y sexy

Pliegas el folleto de «Immaculata» y vuelves a guardártelo en el bolso. Otra noche hasta te plantearías pasar por la exposición, pero no con un hombre tan atractivo como éste ofreciéndose a compartir contigo su taxi. Hay en él algo que provoca que te fallen un poco las rodillas. Tiene que ver con el modo en que domina cualquier espacio en el que se encuentra. No es de los que simplemente pagan el alquiler. Es de los que compran.

—No veo ningún motivo por el que no podamos compartir el taxi —dice—. Piensa en el medio ambiente…, las emisiones de carbono y todo eso.

—Supongo que sería la elección más responsable —concedes.

Se ríe y te sostiene la puerta abierta para que subas. Cuando rodea el vehículo por detrás para subir por el otro lado, miras por la ventanilla y ves que el inmenso guardaespaldas te saluda con la mano antes de doblarse en dos para subir al increíble deportivo y encender el motor, luego se pierde en la noche con un rugido. Te preguntas qué habría ocurrido si hubieras decidido irte con él, pero, antes de que puedas darle demasiadas vueltas, Miles sube al taxi y se sienta a tu lado, llenando el espacio con su fragancia a cedro y a cuero.

El taxista se vuelve en el asiento delantero y espera instrucciones.

—¿Adónde? —pregunta Miles.

—Pensaba irme a casa —dices—. Supuestamente tenía que haberme encontrado aquí con una amiga para tomar una copa, pero me ha plantado en el último minuto. Ha tenido que quedarse trabajando hasta tarde. Su jefe puede llegar a ser un auténtico cabrón controlador.

Miles arquea una ceja.

—Hablando de trabajar hasta tarde, ¿no tendrás hambre, por casualidad? He estado tan ocupado cerrando un negocio que no he comido desde el almuerzo, y los negocios me dejan famélico.

—Un poco de hambre sí tengo. ¿Qué tenías en mente? —preguntas.

—Conozco un japonés fantástico no lejos de aquí. Los *sashimi* son de primera. Y tienen un sake excelente. Había pensado pasar por allí y cenar algo. ¿Te gustaría acompañarme?

Lo miras, intentando decidir qué hacer. Quizá deberías dar la noche por finalizada e irte a casa. Quizás el taxi podría dejarte en la cafetería de tu barrio y pasar a comprarte tu chocolate caliente favorito. Aunque un buen *sushi* no es nada despreciable..., y el hombre es realmente atractivo.

El taxista se aclara la garganta y te das cuenta de que el taxímetro ha estado en marcha todo el tiempo. Tienes que decidirte, y rápido.

 Si decides ir a comer sushi con el encantador hombre maduro, ve a la página 127

 Si le pides al taxista que te lleve directamente a casa, ve a la página 258

 Si el taxista te deja en la cafetería de tu barrio que está abierta hasta tarde, ve a la página 283

Has decidido ir a comer sushi

—Eso suena bien. Me gusta el *sushi*.

El taxista suelta un sonoro suspiro de alivio.

—Excelente —dice Miles, dando al taxista una dirección e indicándole rápidamente cómo llegar hasta allí.

Tras un breve trayecto, el taxi se detiene en una calle tranquila. Miras por la ventanilla, pero no ves la fachada de ningún restaurante. Miles paga al taxista y luego baja y te abre la puerta. Intentas que no se te vean las bragas al bajar del coche, aunque no es tan fácil como pretenden hacernos creer las actrices de Hollywood.

Cruzas la acera y Miles te lleva hasta una puerta recóndita. Desde fuera no parece en absoluto un restaurante: no hay carteles ni tampoco nombres en ninguna de las ventanas, tras las que están corridas las cortinas, de modo que no puedes ver lo que hay dentro. De ahí que te quedes atónita al entrar por la puerta y encontrarte de pronto en un restaurante japonés con una decoración íntima y discreta. El servicio y la mayor parte de los clientes parecen japoneses, lo cual es siempre una buena señal.

Una mujer elegante vestida con un kimono sale a recibiros con una sonrisa de bienvenida.

—¡Señor Cornuti, qué alegría verlo por aquí otra vez! ¿Mesa para dos?

—¡Cornuti! —sueltas cuando por fin te caes del guindo, sintiendo que el estómago te da un vuelco—. Santo Dios, ¡eres Miles Cornuti!

No es en absoluto un nombre común. Si no has sumado antes dos más dos, es sólo porque el taxista lo ha liado todo.

Miles asiente antes de saludar a la anfitriona.

—Hola, Katsuko, qué alegría verte. ¿Podrías darnos dos asientos en la barra, por favor?

La mujer del kimono os conduce hacia la parte trasera del restaurante, hasta una barra que linda directamente con una cocina moderna en la que dos chefs japoneses trabajan codo con codo, cortando pescado de forma magistral y elaborando rollitos de arroz. Ocupáis dos asientos juntos, de cara a la zona de cocina, diseñada para que los clientes vean cómo los chefs preparan el *sushi*. Es un arte y realmente todo un espectáculo. Has oído que en Japón se pasan décadas aprendiendo a preparar el arroz antes de que les permitan acercarse a un trozo de pescado.

Los chefs os saludan educadamente con una inclinación de cabeza y vuelven luego a sus afilados cuchillos y a las esteras que utilizan para enrollar el arroz, charlando en japonés en voz baja. El más alto, que blande un cuchillo —que parece más bien una espada— sin esfuerzo aparente como si fuera el Zorro sobre una gigantesca rodaja de atún transformándolo en un *sashimi* perfecto, al tiempo que los músculos de los brazos se le marcan al trabajar. Estos tipos son sin duda material de primera.

El restaurante está medio lleno y no hay nadie más en la barra. Estás sentada tan cerca de Miles que su brazo y también su pierna se frotan contra las tuyas, provocándote una oleada de excitación por todo el cuerpo.

Cuando tu acompañante ha intercambiado las consabidas muestras de cortesía con la anfitriona y ha pedido sake, ella desaparece, dejándoos solos con las cartas. Aprovechas la oportunidad para interrogarlo:

—No puedo creerlo. ¡Eres Miles Cornuti, el famoso magnate de los medios!

—Tampoco soy tan famoso —dice.

—Ya lo creo que sí. Eres el dueño de docenas de revistas y de un periódico, y están además todos esos sellos y empresas de edición electrónica que tienes en marcha.

Katsuko aparece con una pequeña garrafa de sake. Miles sirve un poco en dos pequeñas tazas sin asa y te ofrece una.

—Prueba esto. Es muy bueno. Al parecer, lo importan de Japón una vez al mes.

—No cambies de tema —dices, acunando la taza con las dos manos y tomando unos cuantos sorbos. La sensación del sedoso líquido bajándote por la garganta es deliciosa—. He oído hablar mucho de ti. Tengo una amiga que escribe para una de tus publicaciones.

—Espero que no sea la misma que te ha plantado esta noche. La que tiene un jefe que es un auténtico... ¿Cómo lo has llamado?

—Hum... —Ahora eres tú la que estás tan avergonzada que no sabes dónde meterte.

—¿Creo que has dicho que era una especie de cabrón?

—Un cabrón controlador —graznas, sintiendo que te arde la cara.

—Ah, sí, eso era. El cabrón controlador a sus pies, señora.

Te mueves nerviosa en el taburete, dando gracias por estar sentada a su lado y no tener que enfrentarte a su mirada burlona.

—De hecho, creo que lo que quiso decir fue... —te bates en retirada, intentando desdecirte.

—Sigue —dice con una sonrisa—. Quiero ver cómo sales de ésta.

—¿Más sake? —preguntas, cogiendo la pequeña garrafa con la pretensión de volver a llenar ambas tazas.

Miles esboza una sonrisa.

—Brindo por los jefes cabrones y controladores del

mundo —proclama, al tiempo que levanta su taza. Entrechocas con él la tuya y vuelves a tomar unos cuantos sorbos más, rezando por cambiar rápidamente de tema. Melissa va a matarte. ¿Cómo piensas contarle que has salido a cenar con su jefe y que se te ha escapado lo que te ha dicho sobre él?

Repasas mentalmente la lista de todo lo demás que te ha contado sobre él, y, entre las cosas que recuerdas, rescatas algunas como: superrico, poderoso, y, sí, muy exigente con sus empleados. Aunque es comprensible. Nadie se convierte en un magnate de los medios siendo un pelele. Te conviertes en magnate de los medios siendo un cabrón controlador. Pero —y esto es aún más importante— ¿por qué Melissa no ha mencionado nunca lo bueno que está?

Lo estudias con disimulo mientras finges leer la carta. Alto, buen cuerpo, carismático, seguro de sí mismo. Y tiene esa expresión de mirada risueña y patas de gallo tipo George Clooney que le sienta de perlas. Aun así, ¿qué estás haciendo? «Es el jefe de tu amiga.» No deberías estar escudriñándolo así. Deberías largarte de aquí más deprisa que un luchador de sumo en una reunión de Weight Watchers*. En cualquier caso, tampoco pasa nada por quedarte a comer un rollo de atún y aguacate, ¿no?

---

* Empresa de Estados Unidos que ofrece un programa para perder peso. (*N. de la T.*)

Cuando por fin miras la carta, te das cuenta de que está todo en japonés. Le das la vuelta para ver si incluye el menú en inglés, o al menos las fotos de los platos al dorso, pero no estás de suerte.

—Entonces, ¿dices que este sitio es de primera? ¿Qué me recomiendas? —preguntas fingiendo despreocupación, como si leyeras japonés todos los días de la semana, con la esperanza de no estar sosteniendo la carta boca abajo.

Miles se inclina hacia ti y esperas que diga algo pretencioso o pedante, o que pida por ti, pero en cambio se limita a decir:

—No tengo ni idea. Siempre le pido a Katsuko que me recomiende algo. La primera vez que vine intenté pasarme de listo y por error pedí una de sus delicias más… inusuales.

—¿Qué pasó?

Hace una mueca.

—Pues que pedí esperma de bacalao.

Casi escupes el sake sobre la barra.

—A los chefs y a las camareras les pareció divertidísimo. Me describieron lo que estaba comiendo después de haber probado el primer bocado. —Asiente hacia uno de los chefs, que le devuelve el saludo con un floreo que ejecuta con el cuchillo.

—Y ¿a qué sabía?

—De hecho, sabía un poco como el calamar. Pero no quiero más semen de pescado. Últimamente prefiero limitarme a platos más seguros.

No puedes resistirte a la tentación de flirtear.

—¿Estás diciendo que te gusta jugar siempre sobre seguro?

Te estudia con atención.

—Depende de con quién juegue.

Un destello de tensión sexual se cruza entre los dos.

—¿Y tú? —pregunta—. ¿Te consideras una mujer intrépida?

—Me gusta pensar que estoy siempre a punto para un poco de aventura —respondes.

—Bien, veamos si eso es cierto. —Levanta la mano y en cuestión de segundos Katsuko ha vuelto a vuestro lado.

—Para mí lo de costumbre, por favor: el *sashimi* de atún, unos *maki* de salmón y los envueltos de *wasabi*. Pero mi amiga y yo estábamos pensando en probar también algo un poco distinto, para variar. ¿Qué nos recomiendas?

Estás convencida de haber visto un destello de malicia en la mirada de Katsuko.

—Esta noche tenemos *unagi* fresco, señor Cornuti.

Señala un acuario que está contra la pared del restaurante. Contiene un surtido de criaturas de aspecto peculiar, entre las que se incluyen erizos de mar muy espinosos, unas cuantas estrellas de mar pegadas a las paredes del acuario y media docena de anguilas que se deslizan sinuosamente por la pequeña pecera, entrelazándose.

—Y, como verá, también tenemos *uni* fresco, además de nuestras exquisiteces más tradicionales —dice.

—¿*Uni?* –preguntas, y tu voz suena como una carraspera nerviosa.

—Erizos de mar. Los órganos reproductivos —te informa Katsuko, con el rostro impasible.

Miles te mira.

—Por mí bien…, si a ti te apetece.

—Para mí lo mismo que él —pides, intentando no amilanarte.

—Probemos el *uni*. Y tráenos también una de esas exquisiteces tradicionales, por favor —dice Miles.

Mientras Katsuko se vuelve para dar instrucciones a los chefs en un japonés rápido, te reclinas en el asiento y tomas otro sorbo de sake, preguntándote dónde demonios te has metido.

En cuanto habéis hecho vuestro pedido, te das cuenta de que la conversación fluye con facilidad. Miles es más abierto sobre su vida personal de lo que habrías esperado en alguien de su posición, y empiezas a dejar de sentirte tan culpable por Melissa. A decir verdad, no tienes tanto la sensación de estar cenando con el jefe de tu amiga como de haber salido con un amigo. Un amigo que está buenísimo, aunque un amigo al fin y al cabo.

Descubres que lleva dos años divorciado, pero que se lleva bien con su ex y con sus dos hijos, que a estas alturas ya son mayores. Menciona que es adicto al trabajo, motivo que provocó el divorcio. Siempre ha estado casado con sus negocios —cosa de sobra conocida—, y aun así no puedes evitar admirar su compromiso con su trabajo. Eso es parte de lo que lo hace tan atractivo. Y a la vez que detectas el aspecto controlador de su personalidad acechando en las sombras, la parte del Miles cabrón parece afortunadamente ausente de momento.

—Ahora que te he contado toda mi vida amorosa, ¿qué me cuentas tú de la tuya? —pregunta.

Bajas la mirada. No te parece que parlotear sobre el pedregoso desierto que es tu actual vida romántica vaya a resultar demasiado atractivo, así que decides simplificar.

—En este momento no hay nadie.

—¿No tienes novio?

Niegas con la cabeza.

Sonríe de oreja a oreja.

—¿Novia?

—¿Estás esperando que conteste que sí? ¿No es algo con lo que los hombres siempre fantaseáis?

—Yo no —dice, y luego vacía su taza.

Katsuko os interrumpe de nuevo, pero la perdonas cuando coloca varios platitos de comida sobre la barra. Paseas la mirada por las distintas ofertas, aliviada al descubrir que no hay nada que no reconozcas, y todo tiene un aspecto delicioso. Cuando estás a punto de empezar a comer, reparas en que uno de los chefs se ha acercado al acuario. En ese momento, entiendes que todavía no estás a salvo.

Miles hace girar sus palillos, que naturalmente maneja como un auténtico profesional, y tú coges los tuyos con la esperanza de que no se te caiga la comida en el escote o te claves alguno en el ojo. Pero en cuanto te metes en la boca el primer bocado del suculento y pequeño envuelto que has conseguido coger, dejas de preocuparte por tu técnica de manejo de los palillos. El pescado está tan fresco que se te deshace en la boca, y parece haber la cantidad de ingredientes perfecta en cada bocado.

Algunas piezas son demasiado grandes para comerlas de un solo bocado, y te alivia ver a Miles dejando a un lado los palillos y cogiendo un rollo con los dedos. «Gracias a Dios, es humano», piensas, y luego sigues su ejemplo.

En un momento de la cena, mientras estáis comentando el incremento de las ventas de libros electrónicos, Miles se interrumpe en mitad de la frase y te acerca la mano a la cara.

—¿Puedo? —pregunta.

Contienes el aliento, dudando de lo que va a hacer. ¿No pensará besarte? Se inclina aún más hacia ti y te quita un grano de arroz de la mejilla. Pero no se limita a quitártelo rápidamente con el dedo, sino que te sostiene la barbilla en la palma de su mano y te pasa el pulgar por todo lo ancho de la mejilla. La intimidad del contacto te excita —la suavidad de la yema del pulgar sobre tu piel—, y al instante tu cuerpo quiere más. En cuanto sus dedos desaparecen, te pasas la mano por la mejilla encendida, buscando otros granos de arroz imaginarios, ligeramente avergonzada por tu ineptitud a la hora de comer *sushi* y por el modo en que has reaccionado cuando te ha tocado.

Y es entonces cuando Katsuko aparece de nuevo y empieza a recoger los platos vacíos mientras Miles sirve los restos de sake de la garrafa en vuestras tazas. En cuanto la barra queda despejada, Katsuko regresa y os pone dos platitos entre ambos.

—*Uni* —dice, señalando los platos con un gesto de la cabeza.

El primero de los platos contiene algo ligeramente parecido a unos rollos de *sushi*, con arroz lujuriosamente envuelto en algas oscuras. Pero, dispuestas sobre el arroz, hay unas gruesas rodajas de brillante carne naranja. Tiene una textura parecida a la de una lengua y parece casi esponjosa. El segundo contiene horrores todavía peores: lo que parecen ser dos gigantescos globos oculares. Cada uno de ellos es ligeramente mayor que una bola de chicle, y ambos tienen trozos de carne y de fibra

pegados a los bordes. Se te revuelve el estómago al ver-
los, mientras ellos te miran fijamente desde el plato,
igualmente inmutables.

Coges un palillo y tocas con él uno de los carnosos
globos naranjas, y estás segura de que temblequea cuando lo tocas. Retiras la mano en el acto. ¿No estará viva
esa monstruosidad?

Miles se ríe.

—¿No eres tú la chica que ha dicho que le apetecía
un poco de aventura?

—¿No eres tú el hombre que me ha dicho que comió
por accidente semen de bacalao? —le replicas—. Pues
esto tendría que ser para ti un paseíllo... ¿Qué has dicho que era?

El más guapo de los dos chefs, que observa el espectáculo con sincero interés, inclina la cabeza en dirección
a la esponjosa lengua naranja:

—*Uni*. Erizo de mar.

—¿Y eso? —preguntas, señalando con un gesto vacilante uno de los globos oculares con el palillo.

—Ojo de atún. Una gran exquisitez japonesa —aclara el chef, incapaz de disimular su sonrisa.

—Fantástico —dices, intentando parecer convincente.

Miles alarga los palillos hacia delante, directo hacia
el globo ocular. Lo coge y lo levanta, sin apartar un segundo la mirada de ti.

—Por la aventura —dice.

Empujas con los palillos el globo ocular que queda y lo coges, intentando que no te tiemble la mano. Es tan gordo y tan resbaladizo que tienes que tener cuidado de que no se te escape de entre los palillos y salga dando botes por la barra. Tiene un aspecto asqueroso, y, cuando te lo acercas a la boca, te das cuenta de que tampoco huele bien. Pero no te rindes y clavas la mirada en la de Miles, que te observa con expresión desafiante.

Os vais acercando vuestros ojos oculares respectivos cada vez más a la boca mientras os observáis con atención.

Contemplas horrorizada cómo Miles abre la boca y caes en la cuenta: si se mete esa cosa en la boca, jamás podrás besarlo. Y entiendes que eso es exactamente lo que llevas deseando hacer desde que lo has conocido, de modo que si por nada del mundo puedes meterte un globo ocular en la boca, más importante si cabe es que tampoco lo haga él.

Sueltas el globo ocular con un estremecimiento.

—No puedo. Me doy por vencida. ¡Tú ganas!

—¿Te das por vencida?

—Sí, tú ganas. ¡Esto es demasiado asqueroso!

—¡Gracias a Dios! —dice, soltando el globo ocular en el plato, donde resbala de un lado a otro hasta detenerse fláccidamente junto a su compañero de modo que las dos pupilas se te quedan mirando tristemente.

—Lo admito: en lo que concierne a la comida, ¡eres más valiente que yo!

Miles sonríe con suficiencia, aunque enseguida deja de hacerlo y se inclina hacia ti.

—Un momento. ¿A qué te refieres con eso de «en lo que concierne a la comida»?

A estas alturas tan sólo os separan unos cuantos centímetros. Sientes la burbujeante energía sexual que durante toda la noche ha estado acumulándose entre los dos. El deseo de inclinarte hacia delante y besarlo te resulta abrumador.

Katsuko vuelve a deslizarse discretamente hasta la mesa y se lleva el *uni* y los globos oculares intactos.

—¿Te apetece un postre? —pregunta Miles.

—¿Qué tenías pensado?

—Bueno, tienen helado de té verde…

Haber escapado por los pelos de morir víctima de un globo ocular ha espoleado tu audacia.

—¿Qué tal algo un poco más decadente? —dices, aparcando la cautela y deslizando una pierna entre las suyas.

—Creo que tienes razón —responde despacio—. A mí tampoco me apetece el helado. ¿Qué te parece si vamos a mi casa? Seguro que allí encontramos el postre perfecto.

Vacilas durante un minuto, batallando con tu conciencia, pero Miles es demasiado magnético como para largarte llegados a este punto. Lo siento, Melissa.

Pide la cuenta con un gesto y te coge la mano cuando vais de camino hacia la caja.

—Gracias por la cena —dices mientras esperáis a que el terminal de pago con tarjeta de crédito escupa el comprobante.

Las comisuras de sus penetrantes ojos se arrugan y se inclina hacia ti, rozándote la oreja con la boca al tiempo que susurra:

—En ningún momento de la noche he pensado en comerme ese globo ocular.

Te pones de puntillas para llegarle a la oreja y le susurras a tu vez:

—Ni yo iba a dejarte que lo hicieras.

* * *

Una vez en la acera, mientras esperáis a que llegue el taxi, él por fin se inclina sobre ti, te toma de la barbilla y te besa largo y tendido. Su boca está caliente y ávida de ti. Sientes que las rodillas están a punto de fallarte y Miles debe de haberlo notado, porque te rodea con los brazos y te sostiene firmemente contra él mientras os besáis.

Cuando os quedáis sin aliento, él se aparta.

—Antes de meternos en el taxi, tengo que decirte que... no estaba bromeando cuando te he dicho lo de que soy atrevido. —Entrelaza los dedos de sus manos con los tuyos—. ¿Estás segura de que estás dispuesta?

—No estoy segura de entenderte.

—Es sólo que me gusta hacer las cosas de forma diferente.

De eso no te cabe duda: imaginas que este hombre lo hace todo de un modo ligeramente diferente.

—Aunque te garantizo que lo disfrutarás —dice al ver que no respondes.

—¿Cómo lo sabes?

—No me he equivocado con el *sushi*, ¿verdad?

Tu mente baraja rauda las posibilidades. No mentías cuando has dicho que lo de la aventura te va un poco. Nunca has descartado del todo el *puenting*, y quienes te conocen saben que no le haces ascos a caminar al borde del precipicio, pero no tienes la menor intención de dejarte atar en una mazmorra del amor. De todas formas, Miles te parece tan afable que en ningún momento se te ocurre que pueda irle nada demasiado extremo. Además, ha acertado con el *sushi*. Titubeas, intentando decidir qué hacer.

A veces, lo mejor es dejar las cosas en su mejor momento. A fin de cuentas, ya te has divertido con Miles Cornuti. Quizás haya llegado la hora de poner punto y final a la noche tras haber perdido el desafío de degustar un globo ocular y quizás una pizca de dignidad. A fin de cuentas, es el jefe de Melissa. Ningún hombre —por muy bueno que esté— merece que arriesguemos una amistad por él. Y siempre puedes pasar por la cafetería de tu barrio que no cierra hasta tarde. Quizás el único postre que necesitas sea un chocolate caliente. Aunque esos ojos de George Clooney...

 Si decides ir a casa de Miles, ve a la página 144

 Si decides no irte con Miles a su casa, ve a la página 172

 Si pasas por la cafetería de tu barrio, que está abierta hasta tarde, de camino a casa, ve a la página 283

Has decidido irte con Miles a su casa

Vaya. Estás en el inmenso recibidor, intentando asimilar lo que ves. La casa de Miles es una obra maestra de lujo comedido: tiene todo el aspecto de estar a punto de ser fotografiada para el *Minimalist Design Weekly*. Las paredes blancas exhiben una ecléctica mezcla de arte. Hay hermosas piezas clásicas, mezcladas con la clase de arte moderno que siempre has sospechado que podría ser obra de un niño de dos años, aunque estás segura de que cada una de ellas vale el producto interior bruto de un país pequeño. No hay un solo objeto fuera de lugar, ni, por supuesto, ninguna taza de café por ahí olvidada. La sutil iluminación suaviza las superficies de piedra blanca: hasta los *led* empotrados en el techo son discretos.

Miles te hace una visita guiada por el salón-comedor-cocina abierto y después subís por las escaleras que flotan sin esfuerzo, y aparentemente sin soporte alguno, pegadas a la pared. Los techos son tan altos que se podría jugar al voleibol dentro.

No hay duda posible respecto a tu destino, y tu excitación va en aumento mientras él te lleva hacia el dormitorio. ¿De verdad estás haciendo esto? ¿Vas a tirarte al jefe de tu mejor amiga? Sientes todavía una pequeña punzada de culpa al pensarlo, aunque enseguida queda anulada por la expectación. Miles apenas te ha tocado —tan sólo el beso que os habéis dado delante del restaurante y los momentos en que os habéis tomado la mano en el taxi, pero hasta el momento eso ha sido todo—, lo cual resulta incluso más tentador que si te hubiera manoseado entera. Cada segundo que pasa sin que te toque, tu deseo por él no hace sino aumentar.

Te conduce al que sin duda es el dormitorio principal. En él hay una cama del tamaño de un cuadrilátero de boxeo, un montón de espejos y un sofá de dos plazas de cuero blanco situado contra una pared. Al pulsar un botón, la música suena desde unos altavoces invisibles y las luces menguan su intensidad en la medida justa.

Por fin... Miles te acaricia la mejilla y vuelve a tomarte de la barbilla para besarte, pero interrumpe rápidamente el beso, provocándote, para obligarte a inclinarte hacia él, siguiendo su boca con la tuya.

—Ven aquí —susurras frustrada, tendiendo la mano y agarrándolo de la nuca para volver a tirar de él hacia ti. Lejos de cualquier atisbo de indecisión o de provocación, él te agarra a su vez con fuerza y te empuja la cabeza hacia atrás, revolviéndote el pelo y pegándote contra lo que sientes como una auténtica roca en esos pantalones de corte caro. Te arqueas contra él y Miles te tira del pelo. La diferencia que media entre su estilo afable habitual y la pasión con la que te está devorando es tremendamente excitante, y es obvio, a juzgar por la erección que notas palpitando contra tu cuerpo, que la sensación es del todo compartida.

Entonces, él vuelve a dar un paso atrás, dejándote mareada de deseo y confusión, y se quita la camisa, revelando al hacerlo un torso que es claramente el resultado de largas y disciplinadas horas en el gimnasio.

—Quiero que te quites el vestido. Ahora. —Es una orden, no una pregunta, y eso te hace parar.

—Biieen —dices sin moverte, sintiendo un ligero encogimiento en el estómago. No estás demasiado segura de que lo de aceptar órdenes vaya contigo, aunque quien las dé sea un hombre acostumbrado a que cientos de empleados hagan exactamente lo que dice.

Os quedáis de pie, mirándoos fijamente, y percibes que hay algo que Miles necesita decirte. Su reticencia lo delata.

—¿Qué ocurre? —preguntas.

—Me gusta hacer las cosas de un modo ligeramente distinto.

—Eso has dicho, sí.

—Tengo una caja de juguetes que quiero compartir contigo. —Luego, al verte la cara, añade—: No, no son drogas ni nada de eso... Deja que te la enseñe. Es más fácil que explicártelo.

Saca una maleta con ruedas anodina de debajo de la cama. Es negra y, como era de esperar, parece realmente cara. Cuenta además con una cerradura de combinación de aspecto complicado.

—¿Te vas a algún sitio? —preguntas.

Tu intento de quitarle hierro al asunto cae en saco roto, pues Miles te ignora por completo. Santo Dios. Esperas que no vaya ahora a sacar de la maleta uno de esos monos de *bondage* y te pida que le mees encima o algo así.

Miles pone la maleta encima de la cama y manipula de manera eficiente la cerradura. Tú lo observas, curiosa y algo recelosa.

—Ven, acércate —dice en voz baja.

—¿Seguimos mandando? —comentas, sin moverte de donde estás.

—Es mi trabajo. —Su voz sigue igual de suave, aunque más insistente. Parte de ti está a punto de salir huyendo, pero la otra siente curiosidad. Das un paso hacia él y echas un vistazo al interior de la maleta.

Lo que obtienes es una visión general de una serie de artículos de cuero negro dispuestos sobre el fondo, sobre los que reposa una colección completa de distintas clases de fustas, látigos y otros artilugios. Hay palas y también unas bolas. ¿Y esas esposas? Te inclinas cautelosamente para ver mejor. La maleta contiene asimismo unas plumas de avestruz y un gran surtido de vibradores, desde una discreta vara a otro tan grande que te resulta francamente aterrador. «Ni hablar», decides. Una chica tiene que poner el límite en algún momento. Hay también un impresionante surtido de condones. Entre ellos, rugosos, tachonados, de colores y de distintos sabores.

—Ya te he avisado de que habría aventura —dice—. ¿Entiendo que todo esto es nuevo para ti?

—Por decirlo de alguna manera —comentas—. Una vez tuve un novio que me tapó los ojos con un pañuelo de seda para divertirnos, pero acabamos prescindiendo de él después de que accidentalmente le metí el dedo en el ojo mientras nos dábamos un revolcón.

—Entenderé perfectamente si quieres marcharte ahora. Te pediré un taxi. No tienes más que decirlo.

Lo miras, dubitativa. Está de pie a escasos centímetros de ti, con el pecho desnudo respirando con calma, dando muestras de un absoluto autocontrol, y con el desenfreno de hace unos minutos metido en vereda. Su atractivo es innegable... Tus bragas corren el peligro de deshacerse.

—Voy a ser muy claro contigo —dice—. Podría enseñarte un tipo de placer muy distinto, y creo que lo sabes. Puedo garantizarte que en ningún momento correrás peligro. Tienes mi palabra. La idea es que conozcas algo totalmente nuevo.

No sabes qué hacer. Ésta es tu oportunidad de experimentar un poco con un refinado sadomasoquista, y mentirías si negaras que sientes cierta curiosidad. A fin de cuentas, esto es lo que últimamente está en boca de todo el mundo. Ayuda también el hecho de estar con uno de los hombres más poderosos y sexys de la ciudad. Es un hombre con experiencia, dispone de todo el material necesario, es discreto, y si el bulto que le cuelga entre las piernas debe darte alguna pista, te desea de verdad. Pero la pregunta es: ¿realmente deseas a Miles? Y, de ser así, ¿lo deseas tanto como para probar algo distinto? ¿O es quizás hora de largarte antes de que las cosas empiecen a ponerse feas de verdad?

 Si decides seguir adelante, ve a la página 150

 Si esto no va contigo y lo que quieres es salir de aquí, ve a la página 220

Decides seguir adelante

—De acuerdo. Entonces, e hipotéticamente hablando, si dijera que sí... —dices, acercándote un paso más a él de modo que vuestros cuerpos ahora casi se tocan. Apenas un suspiro os separa.

—No creo que te arrepientas —responde, sin moverse para tocarte.

—Y ¿no me harás daño? —preguntas.

—Nada que no puedas soportar. Creo que descubrirás que, a veces, un poco de dolor puede traducirse en mucho placer. Hipotéticamente hablando, por supuesto.

—Claro —dices—. Pero ¿y si quiero que pares?

—Lo haré en cuanto me lo pidas.

Arqueas una ceja, en absoluto convencida.

—Acordaremos una contraseña, naturalmente.

—¿Una contraseña?

—Algo que puedas decir si en algún momento te sientes incómoda. Será la señal para que deje de hacer lo que esté haciendo en ese mismo instante. Las palabras «basta» y «no» no siempre quedan claras en caliente. A veces, cuando estás al límite, «basta» puede significar «más», de modo que tenemos que elegir algo que nos resulte inconfundible del todo, una palabra que no podamos confundir de ninguna de las maneras con nada.

Algo que decidamos conjuntamente y que signifique: «¡Para ahora mismo!»

Todo esto te resulta un poco surrealista. Está ocurriendo de verdad: estás hablando de contraseñas con un magnate de los medios, que además resulta ser el jefe de tu mejor amiga.

A punto estás de escoger una palabra estúpida tipo «*jabberwocky**» o «cabrón controlador», pero en cambio dices:

—¿Qué te parece «erizo de mar»?

Miles no puede disimular una sonrisa.

—Bueno, técnicamente es una contraseña de tres palabras, pero de acuerdo: «erizo de mar». Al menos, sabemos que no se colará en ninguna conversación y que no la confundiremos con ninguna otra salvo con «basta».

Asientes, y, una vez tomada la decisión, Miles tira por fin de ti contra él para besarte. Cuando os separáis, te mira durante un largo instante antes de cambiar de tono:

—Muy bien. ¡Quítate el vestido! Tengo otra cosa en mente. —Saca de la maleta un reluciente corpiño de cuero negro con cierre de corsé.

Te quedas de pie donde estás, en absoluto acostum-

---

* Poema sin sentido escrito por Lewis Carroll, y que aparece en su obra *Alicia a través del espejo. (N. de la T.)*

brada a que te den órdenes de ese modo, e intentando decidir si te gusta.

—Te he dicho que te lo quites —gruñe.

Una oleada de calor te recorre de pronto el cuerpo. Te quitas el vestido por la cabeza y lo dejas caer al suelo. Él te pasa las manos por detrás de la espalda y te desabrocha el sujetador.

—¡Todo! —dice.

Tragas saliva y te remueves para quitarte el tanga, tapándote con las manos. Sin embargo, no te quedas totalmente desnuda durante mucho tiempo. Miles te ayuda a ponerte el corpiño, hace que te des la vuelta y te ata los cordones a la espalda con tanta energía que dejas escapar un pequeño grito.

Luego te recompensa por tu obediencia pasándote primero un dedo por la base de la nuca y recorriéndote la espalda entre los cordones, antes de acercarse a ti por detrás y mordisquearte la parte superior de los hombros. En cuanto sientes su cuerpo contra el tuyo, deseas volverte, cogerlo y besarlo, pero cuando empiezas a moverte, él te coge los brazos, inmovilizándote:

—No he dicho que puedas volverte.

Una hilera de espejos cubre los enormes armarios que ocupan toda la pared. Te ves reflejada en ellos, con tan sólo tus zapatos negros de tacón alto, el corpiño negro de charol y el pelo revuelto. El corpiño le da a tu cintura un aspecto minúsculo y hasta tú contienes la respiración al verte. No hay duda: el efecto te pone a cien. Detrás de ti, sientes el aliento de Miles en el oído cuando lo oyes susurrar:

—Elige un látigo.

Tragas saliva de nuevo y, durante un instante, los nervios superan con creces el calor que palpita en tu coño, pero decides echar un vistazo al interior de su caja de juguetes. Ves algunas fustas de aspecto realmente profesional, una paleta que parece exactamente una pala de *ping-pong*, otra que es como un cepillo de dimensiones enormes y de cuya cara sobresale un manto de púas cortas y metálicas, y también una antigua regla escolar de madera, salpicada de manchas de tinta. Ves también un látigo de ante de color crema que termina en múltiples colas de piel suave, con nudos en las puntas. Parece refinado y en absoluto amenazador, y lo señalas.

—Ése.

Miles lo saca de la maleta y te lleva hasta el sofá de dos plazas, que probablemente vale más que todos los muebles de tu apartamento.

—Colócate de pie delante de mí —dice, sentándose en el borde del sofá.

Haces lo que te ordena, creyendo que quizás estás pillándole el punto a esto. Pero te gustaría que dejara de mangonearte así y que empezara a tocarte ya de una vez. Has recibido la mínima atención física desde tu llegada y ahora realmente la deseas. El deseo ha estado acumulándose y creciendo dentro de ti.

—Ahora date la vuelta —ordena.

Te vuelves, presumiendo de tu cuerpo ensalzado por el corpiño, y él susurra:

—Perfecto. Eres muy sexy, ¿lo sabías? Pero también eres muy mala, ¿a que sí? Creo que voy a tener que darte unos azotes.

Y, sin previo aviso, te agarra de las muñecas, juntándotelas con una mano, y tira de ti bruscamente, de modo que pierdes el equilibrio sobre tus tacones y caes de bruces sobre sus rodillas. Te ríes al caer, pero contienes un jadeo cuando él te pasa las puntas sueltas del látigo por el trasero y por la parte baja de la espalda que ha quedado a la vista. El cosquilleo es deliciosamente erótico y su erección aumenta con firmeza. Sientes cómo el látigo se desliza por tus nalgas desnudas y luego baja por tus muslos hasta las pantorrillas, antes de volver a subir. La suavidad del contacto es exquisita sobre tu piel desnuda. El látigo deja de deslizarse sobre ti para desaparecer por un momento, y deseas ansiosa volver a sentirlo.

Oyes y sientes un pequeño azote cuando Miles alza el látigo y estampa las colas de ante contra tu culo desnudo. Duele un poco, aunque no es desagradable. Rápidamente, te pasa una mano fría por el trasero, donde estampó las colas de ante contra tu culo. El contacto de sus dedos sobre tu piel desnuda calma de inmediato cualquier recuerdo del dolor que haya podido causar el látigo.

Segundos más tarde, sientes que su mano desaparece y el látigo vuelve a restallar sobre ti, esta vez un poco más fuerte. Las puntas anudadas impactan ahora contra la parte inferior de tu trasero y algunas también en la parte posterior y superior de tus muslos. Contienes el aliento, pero, al instante, su mano vuelve a estar sobre tu piel, masajeándola y haciendo desaparecer la irritación. Luego te frota en círculos el culo antes de levantar la mano y pegarte con ella en la piel desnuda. Gritas al sentir el impacto, más por el chasquido que produce y por la sorpresa del golpe propinado con la palma abierta, cuando esperabas sentir el suave cuero del látigo, que por el dolor.

Una vez más, Miles te frota las nalgas, masajeándote la piel y deslizando brevemente los dedos entre tus piernas…, y sabes lo húmeda que va a encontrarte, y, en cuanto lo piensas, te humedeces todavía más.

Después de pasarte unos cuantos dedos por el coño, devuelve la mano a tu culo y vuelve a darle una rápida palmada antes de masajearte de nuevo la piel, ahora inflamada y sensible al más ligero contacto. Estás empezando a entender de qué va todo esto: un poco de dolor inesperado seguido cada vez de la recompensa del contacto, convirtiendo así el dolor en algo sorprendentemente erótico. Por eso, tu cuerpo disfruta con ello y reacciona a algo que siempre creíste que te resultaría totalmente inaceptable. El ardor de la última palmada se desvanece, reemplazado por la piel erizada en cuanto sientes el aire fresco sobre el culo. Debe de estar soplando sobre ti. Luego vuelve a retirar la mano y te preparas para lo que ha de llegar cuando su mano caiga sobre ti.

Y, entonces, ¡zas!, el látigo golpea una vez más, y en esta ocasión no es en absoluto lo que esperabas.

—¡Ay! ¡Mierda! ¡Eso duele!

Te revuelves, retirándote de las rodillas de Miles y poniéndote en pie mientras te frotas el trasero con las dos manos.

—¿Se puede saber qué crees que estás haciendo? ¡Me ha dolido, joder! —gruñes.

Por primera vez, Miles parece desconcertado.

—La contraseña —te recuerda—. Utiliza la contraseña si lo necesitas.

—A la mierda la jodida contraseña. Me ha dolido y no vas a volver a hacerlo.

Lo fulminas con la mirada, con las manos en la cintura y las tetas amenazando con salirse del corpiño por culpa de tu respiración alterada.

Miles está claramente confundido. Se pasa la mano por el pelo, flexionando los músculos de los brazos. Está tan bueno, el condenado, y parece tan decepcionado que te ablandas un poco. Puede que te escueza el culo, pero sigues a mil y no vas a dejar escapar esta oportunidad así como así. Se te ocurre una idea.

—A la cama. Ahora. Creo que necesitas probar de tu propia medicina —ordenas, bien erguida y señalando la cama.

Su mirada encuentra la tuya y la aguanta durante un momento, y prácticamente oyes el entrechocar de espadas. Lo miras desde arriba y, al ver que no se mueve, le coges la mano y tiras de él, levantándolo sin contemplaciones. Luego vuelves a señalar la cama.

—¡Ahora! —exclamas—. ¡Es una orden! ¡Vamos! —Acto seguido, le pones una mano entre los omoplatos y le das un empujón. Para tu asombro, te obedece como un cordero, y su complicidad te envalentona. O quizá sea el corpiño de cuero.

—Quítate los pantalones e inclínate al pie de la cama. Ahora —le espetas, rebuscando en su maleta. Sabes exactamente lo que buscas y sonríes, satisfecha, cuando tus dedos cierran la maleta.

Pero tu sonrisa queda reemplazada por una expresión de perplejidad cuando Miles se quita los pantalones y los calzoncillos cegadoramente blancos. Podría ser un modelo de Calvin Klein, con la diferencia de que su polla es más grande y de que tiene los abdominales más claramente definidos que los de cualquier modelo masculino de ropa interior que hayas visto en tu vida.

Os miráis durante un instante. Luego contemplas, incrédula, cómo este hombre alto, musculoso y poderoso se dirige sumiso a la cama y se inclina, apoyando las manos en el colchón y quedando completamente a tu merced. Y no piensas apiadarte de él, teniendo en cuenta lo escocido que te ha dejado el culo.

Te quedas de pie a su lado y levantas el arma que has elegido —la regla de profesora— mientras admiras sus glúteos firmes y musculosos. A continuación, bajas el brazo y le propinas un buen azote. Miles se encoge y gime, y tú te alarmas un poco. ¿Te habrás pasado? Pero cuando lo rodeas para comprobarlo, reparas en el efecto que el azote ha tenido en su polla ya inflamada, que se yergue un poco más.

Te detienes y vuelves a golpearlo con la regla, esta vez un poco más fuerte, y el segundo palmetazo surte el mismo efecto. Te acuerdas de la agradable sensación que has experimentado cuando él te acariciaba la piel irritada después de golpearte, de modo que le pasas suavemente la mano por la zona azotada, sintiendo un pequeño cardenal formándose bajo tus dedos, y lo oyes gemir al sentir el contacto. Tiene la piel suave y caliente, y los músculos contraídos. Frotas un poco más fuerte, dibujando pequeños círculos como lo ha hecho él, y cuando te parece que menos se lo espera, rápidamente vuelves a azotarlo con la regla. Luego repites la rutina anterior, sustituyendo la regla con los dedos, amasando, masajeando y acariciándole la piel dolorida. En un momento dado, deslizas la mano entre sus piernas y la cierras sobre los huevos, apretándoselos con suavidad y sintiendo cómo se le tensa el cuerpo entero, que tiembla de pura excitación. Después deslizas la palma de la mano sobre su polla tiesa y dura, aunque sólo una vez antes de devolver tu mano a su trasero perfecto.

Cuando llevas administrada media docena de golpes, su pene está perpendicular y la gran vena que lo recorre por debajo palpita visiblemente. Jamás habías visto un espécimen tan perfecto, y te tiene también palpitando por dentro. Todo esto te resulta extrañamente excitante, y tu coño alberga grandes planes para esa polla.

No hay duda de que a Miles le pone que lo mangoneen tanto como encargarse él de mandar, así que decides que ha llegado la hora de impartir nuevas órdenes.

—Ahora, túmbate en la cama, boca arriba, con los brazos sobre la cabeza —ordenas, retrocediendo y haciendo restallar la regla contra la palma de tu mano unas cuantas veces, con voz enérgica y asertiva, como la de una institutriz. Una vez más, te maravilla ver que obedece sin rechistar.

Investigas en su maleta otra vez y sacas las esposas. Parecen eficientes, casi tanto como las auténticas, aunque en vez de estar forradas de algo ordinario como piel de imitación o tela de leopardo, hay una gruesa capa de ante violeta en la cara interna de cada una de ellas. Como todo lo demás que hay en esta casa, son de las caras. Cierras una esposa alrededor de su muñeca y la otra alrededor del pilar de la cama y luego dejas con cuidado la llave en la mesita de noche que está más alejada para que él pueda ver cómo lo haces. Por nada del mundo te perderías algo así.

Con eso te has ocupado de un brazo. Pero ¿qué haces con el otro? No quieres que Miles tenga ni una pizca de control. Se te ocurre una idea y recoges del suelo la camisa que se ha quitado hace un rato. Sin importarte su corte delicado ni el montón de botones que asoman por todas partes, usas la camisa hecha a medida para atarle el otro brazo al pilar de la cama correspondiente.

Durante todo el proceso, Miles se queda quieto, estudiando cada uno de tus movimientos, gimiendo mientras tironeas de sus miembros y con su tremenda erección apuntando al techo. No ves el momento de sentarte encima. Tu coño lo pide a gritos. Ya te has hecho con algunos condones de aspecto intrigante que has sacado de su co-

fre de los tesoros: son negros y están cubiertos de pequeñas protuberancias de goma que tienen todo el aspecto
de poder provocarte increíbles sensaciones en cuanto los
tengas dentro.

Sin quitarte el corpiño ni los tacones, subes a la cama
y te colocas a gatas sobre él. Mirándolo luego desde arriba, te humedeces los labios con la lengua y haces rotar las
caderas, agitando la pelvis justo por encima de su polla.

—Pídelo bien —dices con descaro cuando él se arquea frenético contra ti.

—Por favor —suplica, libre ya de toda contención.

Pero tienes otra idea. Él ha sido el que te ha estado
provocando toda la noche, y ahora ha llegado tu hora.
De modo que gateas hacia su cabeza, trepando por su
torso hasta quedarte de cuclillas sobre su pecho.

—Miles —le informas—. Te has portado muy mal
haciéndome daño, así que ahora te toca pagar por ello.

—Y, dicho esto, separas los muslos y te sientas encima
de su cara.

Su lengua está ya a punto para recibirte y, al segundo siguiente, eres tú la que gime. Los labios suaves y
húmedos de tu coño salen al encuentro de la firmeza de
los suyos, cuyo contacto contra tu cuerpo provoca una
sensación fenomenal. Su lengua empuja con firmeza,
pujando por introducirse en ti, abriéndote, deslizándose dentro y fuera y arrancándote un grito de placer.

Te balanceas con suavidad mientras él mueve levemente la cara a uno y otro lado, abrasándote con su lengua, lamiéndote el clítoris y tirando de tus labios hasta metérselos en la boca, mordisqueándolos con suavidad.

Te agarras al cabezal de la cama con las dos manos y lo utilizas para subir y bajar y poder así alterar la intensidad de su ataque hasta que te das cuenta de que estás a punto de correrte. Ahora, o te retiras o te rindes a tu propio orgasmo.

Te acuerdas de que tienes todavía ese pene glorioso esperándote para que disfrutes de él, y, desde luego, no piensas perdértelo, de modo que te preparas para retirarte y ambos gemís cuando bajas deslizándote sobre su cuerpo. Te detienes a ponerle el condón rugoso sobre su magnífica erección, maravillándote ante la suavidad de su piel caliente y lampiña.

A estas alturas, Miles se revuelve un poco y le administras una buena bofetada en los flancos.

—¡Quieto! —dices, empleando tu voz más severa—. ¡Pienso tomarme mi tiempo!

Te colocas justo encima de su pene y frotas lánguidamente su cabeza contra tu abertura, provocándoos a los dos. Estás tan mojada que no tienes duda de que va a metértela sin ningún esfuerzo, y no ves el momento de que eso ocurra. Miles jadea de forma entrecortada y vuelve a suplicarte.

Le tapas la boca con la mano y él te muerde los dedos, pero la verdad es que no puedes seguir esperando ni un segundo más, de modo que te deslizas sobre su gruesa polla en toda su extensión con un largo suspiro de alivio mezclado con perplejidad en cuanto él expande tu coño mojado hasta el límite. Subes y bajas sobre él unas cuantas veces, acostumbrándote a su tamaño, y luego logras recuperar el control, sabedora de que debes mantener a raya el inminente orgasmo. Te quedas quieta, sentada sobre él y agarrándolo con fuerza entre tus muslos.

—De acuerdo —dices—. Yo soy quien está al mando aquí. Las reglas son éstas: puedes metérmela cuatro veces, ni una más. ¿Entendido? —Decides que puedes ser a la vez disciplinada y contenida.

Miles traga saliva. Eres consciente de que tiene la visión perfecta de tus pechos derramándose sobre los bordes del corpiño, ahora que ambos pezones han escapado de sus copas.

Entonces le permites que te la meta cuatro veces, retorciéndote con fuerza contra él cada vez antes de retirarte y mordisquearle el cuello. Lo oyes jadear. Un minuto más tarde, vuelves a ponerte en cuclillas encima de él:

—Esta vez puedes metérmela diez veces —le dices—. ¡Sólo diez!

Asiente enérgicamente, es evidente que está desesperado por tenerte. Despacio, vuelves a sentarte sobre él, poniendo los ojos en blanco cuando Miles te penetra hasta el fondo, y cuentas entonces una a una y en voz alta las embestidas que tiene permitidas. Cuando llegáis a la décima, te ves obligada a echar mano de la pizca de control que te queda para volver a salir de él. Y Miles gime nuevamente, presa del deseo y la frustración.

Le muerdes un pezón, pasándole la mano por el pecho duro como una roca. La suavidad de su piel contrasta con los músculos que cubre.

—Te necesito. Ahora —te dice al oído, y el sentimiento es mutuo.

—Que le den —proclamas entre jadeos, y esta vez, cuando te sientas encima de él, apuntalas los muslos y empiezas a cabalgar sobre su polla, moviéndote despacio arriba y abajo, moviendo las caderas en círculo, sin contar las embestidas, simplemente abandonándote al placer y dejando que la rítmica presión vaya creciendo dentro de ti. Las rugosidades del condón añaden una malévola y nueva dimensión a su pene, y cabalgas sobre él tan enérgicamente como puedes, cerrando tus rodillas contra su cuerpo, ambos en un éxtasis de placer.

Tú eres la primera que llega al orgasmo, presa de una serie de ruidosos estremecimientos, apoyando las palmas sobre su pecho al tiempo que te convulsionas, pero no dejas de moverte, y cuando, por fin, él se encorva debajo de ti como un arco, has vuelto a correrte y es tanta la satisfacción que casi te has quedado sin fuerzas.

Transcurre un buen rato hasta que por fin vuestras respiraciones se normalizan, y finalmente separas tu cuerpo bañado en sudor del suyo y te tumbas a su lado. Entonces, cuando os besáis —y, aunque parezca increíble, es tan sólo la tercera vez en toda la noche—, lo hacéis con un beso suave y prolongado.

Le desatas la camisa para dejarle una mano libre y que así pueda acariciarte con ella, pero su otra mano sigue esposada al pilar de la cama, y Miles no muestra el menor deseo de que lo liberes.

—Vaya, desde luego esto no era lo que en un principio tenía en mente —murmura.

—¿Te estás quejando? —preguntas, fingiendo que vuelves a coger la regla. Miles se ríe y tira de ti hacia él—. Lamentaría tener que amordazarte, sobre todo sabiendo la magia que puedes obrar con la boca.

—¿Qué tal te ha parecido tu primera incursión en el lado oscuro? —inquiere, hundiendo la cara en tu pelo y besándote en la coronilla.

—Puede que no haya disfrutado tanto en el lado del que recibe como me habría gustado —respondes—. Pero debo reconocer que me ha encantado repartir estopa y azotarte.

—A mí también —dice, pasando los dedos de su mano libre por tu pezón.

Te desperezas y bostezas.

—Se está haciendo tarde —anuncias—. Creo que será mejor que me vaya.

—¿Tan pronto? Pero si todavía tengo una maleta llena de juguetes.

—Eso es precisamente lo que me preocupa. —Bajas las piernas al suelo y te incorporas. El corpiño está empezando a darte calor y a resultarte incómodo, y te pasas las manos por la espalda para desatártelo, asegurándote de quedar de cara a Miles para que pueda verte bien mientras te desnudas. Decides aprovechar para seguir torturándolo —pues ésa parece haber sido la tendencia predominante de la noche—, y te tomas tu tiempo para vestirte.

Luego vuelves a gatear sobre la cama y lo besas largo y tendido, encantada al sentir su lengua tomando el control de tu boca. Cuando notas que empieza a deslizar su mano libre bajo tu vestido, te apartas. Es un hombre insaciable.

—Creo que será mejor dejarte atado —dices, volviendo la vista hacia su muñeca esposada—. Así me aseguro de que no usarás las manos para intentar convencerme de que me quede.

Miles tira brevemente de su ligadura cuando intenta

coger la llave, que queda justo fuera de su alcance, sobre la mesita de noche. Luego vuelve a tumbarse y te recompensa con el destello de su mirada.

—Sexy y lista —dice—. Si no puedo convencerte con las manos, ¿supongo que tampoco podré convencerte de que te quedes suplicándotelo?

—Gracias, pero no. —Te inclinas sobre él y vuelves a besar esa boca sensual.

—¡Espera! —exclama con voz ronca—. Quiero que hagas una cosa por mí antes de marcharte. Por favor.

Te vuelves hacia la cama. ¿Y ahora qué?

—Hay una paleta en la maleta. Necesito que la cojas.

—De acuerdo. —Buscas en la maleta, un poco confundida—. ¿Te refieres a la que parece una pala de *ping-pong*?

—Sí. ¿La has encontrado?

La coges y la agitas, apuntándolo con ella.

—Aquí está. ¿Qué quieres que haga? ¿No querrás que vuelva a azotarte?

Niega con la cabeza.

—Entonces, ¿qué? —La sostienes por el mango y la examinas más atentamente, intentando descubrir qué otros posibles usos puede tener.

—Te doy una pista —dice—. Intenta cogerla al revés.

Vuelves la pala boca abajo y te quedas mirando el mango con forma de consolador, que, según puedes ver, es un poco rugoso..., y entonces lo entiendes.

—¿Quieres que me meta esto... por ahí? —Tu voz emerge como un chillido.

Miles asiente.

Lo observas, mientras te golpeas despacio el muslo con la pala. Éste es un terreno desconocido para ti, que está mucho más allá de tu zona de confort. ¿No será una señal de que ha llegado la hora de irte? Aunque la verdad es que ha sido una noche de nuevas aventuras, de modo que ¿qué puedes perder por hacerle un pequeño regalo de despedida?

Si decides satisfacer su petición, ve a la página 170

 Si, por el contrario, decides irte, ve a la página 171

Has decidido satisfacer la petición de Miles

¡Noooooooooooooooooooooooo! ¿Te has vuelto loca o qué? ¡Ni hablar del peluquín!

Ve directamente a la página 171.

Has decidido irte

—Lo siento, pero yo ya he cumplido. Adiós, Miles. Seguro que puedes arreglártelas solo.

Le acercas un poco la llave de las esposas para que, con un pequeño esfuerzo, pueda alcanzarla. Luego te diriges a la puerta, contoneando las caderas. Jamás podrás volver a mirar una regla escolar como hasta ahora. Y ya no te digo una pala de *ping-pong*.

* * *

Cuando subes a un taxi delante de la casa de Miles, te maravillas al pensar en la noche que has pasado. ¿Quién iba a decirte, cuando te estabas preparando para salir horas antes, que así era como iba a terminar? Bostezas y te desperezas, totalmente satisfecha. «Hora de volver a casa», piensas, al tiempo que le das tu dirección al taxista. Otra opción es la cafetería de tu barrio. Siempre puedes pedirle al taxista que te deje allí. Un chocolate caliente podría ser una forma decadente de poner punto y final a una noche decadente...

 Si decides irte directa a casa, ve a la página 258

 Si paras en la cafetería de tu barrio que está abierta hasta tarde, de camino a casa, ve a la página 283

Has decidido no irte con Miles a su casa

—¿Sabes?, se está haciendo tarde. Creo que, después de todo, me voy a ir a casa —anuncias, mirando tu reloj. Este hombre es magnético, pero quizá sea mejor conservarlo como una fantasía. Además, es el jefe de Melissa, y no te conviene que las cosas se compliquen.

Los hombros de Miles se encogen brevemente, pero enseguida recupera la compostura y la educación que lo caracterizan.

—Por supuesto. Lo entiendo perfectamente —dice antes de meterse la mano en el bolsillo y sacar la cartera. Durante un horripilante instante, crees que va a ofrecerte dinero, aunque lo que hace es sacar una tarjeta de visita.

—Por si alguna vez te apetece algo distinto —se ofrece con una pequeña sonrisa—. Te pediré un taxi.

«Siempre tan mandón», piensas. Quizá resulte sexy al principio, pero ahora está empezando a cansarte un poco.

—Me las arreglaré sola, gracias. Voy a volver a entrar para ir al baño y después le pediré a Katsuko que llame a un taxi.

En ese momento, un coche se detiene hábilmente junto a la acera delante de ti y la puerta trasera queda perfectamente alineada con el sitio exacto donde Miles espera. A este hombre todo parece caerle llovido del cielo. ¿Por qué ibas a ser tú una más?

Te besa en la mejilla como un auténtico caballero y, antes incluso de que él se haya subido al coche, vuelves a entrar en el restaurante.

Dentro, el local está casi vacío; las luces están bajas y no hay ni rastro de Katsuko, de ahí que camines entre las mesas hacia el sonido de voces que charlan y se ríen.

Encuentras a tres hombres jugando a las cartas sentados a la mesa situada en la parte de atrás del restaurante. Reconoces a dos de ellos: los chefs de *sushi* a los que has estado observando antes. El tercero lleva también puesto un uniforme de chef. Debe de trabajar en la trascocina. Te aclaras la garganta y las tres cabezas se giran hacia ti. El guapo, el mismo que hace un rato manejaba el cuchillo de manera ostentosa, se levanta.

—Hola —dice, sonriendo y con un ligero acento en la voz—. ¿En qué puedo ayudarla? ¿Ha olvidado algo? —Vuelve fugazmente la mirada hacia la barra donde Miles y tú habéis estado sentados.

—No, pero me preguntaba si podría quedarme aquí mientras pido un taxi y lo espero.

—Por supuesto —responde afable. Luego estira el cuello, mirando a algún punto detrás de ti—. ¿No la acompaña su novio?

—No es mi novio. Es el jefe de mi mejor amiga.

El chef arquea una ceja con interés antes de retomar su actitud afable.

—Por supuesto. Póngase cómoda. —En ese momento, se le ocurre algo—. ¿No jugará usted al póquer, por casualidad? Takumi, uno de los camareros, suele ser nuestro cuarto jugador, pero hoy ha tenido que irse temprano a casa. Íbamos a recoger, aunque quizá todavía podamos jugar un par de manos.

Los otros dos tipos parecen amigables y uno asiente entusiasmado, mezcla la baraja de cartas azules Bycicle y reparte una mano. Te das cuenta de que ya te ha incluido en el juego, sin esperar tu respuesta.

—¿A qué jugáis? —preguntas.

—*Texas hold 'em* —responde el chef guapo, retirando una silla para ti—. ¿Sabe jugar? No es difícil. Creo que puede aprender rápido.

—Hubo un tiempo en que jugaba a menudo, pero es probable que esté desentrenada.

—No se preocupe. Makio tampoco es muy bueno —bromea, y un miembro del trío suelta una risotada. El que debe de ser Makio mira inquisitivo a sus amigos. Probablemente no hable muy bien inglés.

No eres una profesional, pero sí has jugado antes —señal inequívoca de una juventud desperdiciada—, de modo que no eres una completa principiante y con suerte no quedarás en ridículo. ¿Qué haces? ¿Te quedas a jugar un par de manos? Parecen unos tipos agradables, sobre todo el chef principal, y también ayuda que no está nada mal. Pero no quieres inmiscuirte... ¿Y si sólo te están invitando porque quieren ser educados contigo? Quizá deberías irte a casa e instalarte en el sofá a ver un DVD con una palomitas.

 Para quedarte y jugar al póquer con los chefs, ve a la página 176

 Para irte a casa a ver un DVD con unas palomitas, ve a la página 280

Has decidido quedarte y jugar al póquer

—De acuerdo —dices—. Me quedo a jugar unas manos, si estáis seguros de que no me estoy entrometiendo.

Los tres te aclaman cuando ocupas tu silla a la mesa.

—Soy Koji —dice el chef principal, y os dais la mano. Sientes la fuerza de sus dedos contra los tuyos—. Éste es Makio. No tiene ni idea de inglés. Y éste es Benjiro. Cuidado con él: intentará verte las cartas —añade, tuteándote.

Los dos hombres se quedan sentados, pero inclinan cortésmente la cabeza, y tú saludas rápido con la mano y te presentas. Koji va a buscarte una taza al otro lado de la barra y te sirve un poco de sake. Charlan entre ellos en japonés mientras tomas un sorbo.

—La ciega grande es de doscientos; la pequeña, de cien —explica Koji. Se refiere a las apuestas automáticas que hay que hacer antes de jugar cada ronda. Ahora lo recuerdas y amontonas las fichas que Makio te ha puesto delante siguiendo una especie de orden determinado antes de echar algunas en el bote. Coges tus primeras dos cartas boca abajo sobre la mesa y las miras, poniendo especial cuidado en pegártelas al cuerpo todo lo posible. Una sota y un siete.

Benjiro reparte: quema la carta que está encima del montón, dejándola a un lado, y coloca tres comunitarias boca abajo en el centro de la mesa. Intentas mantener una expresión neutra cuando les da la vuelta y ves que son el cuatro de tréboles, el seis de diamantes y otra sota. Eso significa que tienes dos sotas. Al darte cuenta de que puedes ganar, se te acelera el pulso. Te habías olvidado de lo divertido que puede ser el póquer. Coges tu sake con aire despreocupado al tiempo que el que reparte quema otra carta y destapa la cuarta comunitaria. Es otra sota. Te ves obligada a echar mano de todo tu autocontrol para no esbozar una inmensa sonrisa de oreja a oreja.

Benjiro quema una última carta y descubre la quinta y última comunitaria, que de poco te sirve, aunque no importa: lo que tú tienes te basta para ganar, o al menos para no quedar la última. No hay que ser una experta en póquer para saber lo que vale un color.

Pones especial cuidado en no dejar entrever nada, apostando de manera conservadora durante tres o cuatro rondas, hasta que Makio por fin las ve y todos descubrís vuestras cartas. Los cuatro os inclináis hacia delante para ver lo que hay, y te lleva un segundo estudiar las cartas, calcular y darte cuenta de que has ganado. Te entran ganas de levantar el puño y bailar celebrando tu victoria alrededor de la mesa mientras los tres tipos te miran sin salir de su asombro.

—¡Creía que habías dicho que no eras muy buena! —dice Koji, sonriéndote. Benjiro aplaude y Makio se rasca la cabeza.

—Y no lo soy. Debe de ser la suerte del principiante —aclaras, barriendo el montón de fichas que has ganado sin disimular tu alegría.

Las dos manos siguientes son una ruina, y casi pierdes todas las fichas que has ganado en la primera. Doblas demasiado pronto en la mano siguiente, y pierdes con Benjiro, que saca una doble pareja de figuras.

Sin embargo, pronto descubres que estás contagiándote del ánimo que reina en la mesa y disfrutando. ¿Quién habría imaginado, cuando te estabas vistiendo para pasar una noche de fiesta en la ciudad, que terminarías en un discreto restaurante japonés, jugando al póquer con tres chefs de *sushi*?

Tus compañeros de partida charlan entre ellos, pasando con fluidez del inglés al japonés y viceversa, y Koji intenta traducirte todo lo que puede. No puedes evitar lanzarle miradas de soslayo. Tiene un pelo negro azabache que lleva muy corto sobre la nuca, con un flequillo ligeramente más largo y unas cejas gruesas y oscuras, la nariz larga y aguileña y labios carnosos. Si no fuera un chef de *sushi* de primera, no te cabe duda de que podría ganarse la vida como modelo de pasarela.

Está empeñado en mantenerte siempre llena la taza de sake y sonríe cada vez que vuestras miradas se cruzan. Una o dos veces, sientes su mirada sobre ti cuando cree que estás concentrada en tus cartas, lo cual te acelera un poco el corazón.

Juegas otras dos manos sin ganar. Y, entonces, en la siguiente mano ocurre algo milagroso: te toca un nueve y un rey de tréboles en el reparto inicial. Luego Makio, que reparte, saca un diez, una sota y una reina de tréboles como cartas comunitarias. Se te ponen los ojos como platos: sabes que la mano que acaban de darte es prácticamente el *Grand Prix* de las manos de póquer. Te haces la fría, intentando recordar todo lo que has oído sobre cómo marcarte un farol, para no darles pistas a los chicos. Apuestas con tanta cautela como puedes mientras el bote sigue aumentando.

Benjiro pasa casi enseguida y Makio lo imita dos rondas después, negando con la cabeza y dejando las cartas boca abajo sobre la mesa. Koji y tú os enfrentáis y, a juzgar por el brillo de sus ojos, entiendes que él también tiene buenas cartas. Intentas recordar las reglas, procurando asimismo adivinar las cartas que necesitaría para ganarte la mano, pero estás segura de que las tuyas pueden ganar cualquier competición. Finges valorar tus opciones, jugueteando con tus fichas, como si estuvieras intentando decidir si subir o no tu apuesta.

Siguen otras tantas rondas de apuestas que hacen menguar peligrosamente vuestros montones de fichas, mientras ninguno de los dos quiere ser el primero en ceder.

—Voy con todo —dice Koji por fin con una sonrisa maliciosa, supervisando el pequeño montón de fichas que siguen delante de ti y barriendo hasta su última ficha hacia el centro de la mesa. Entonces él descubre sus cartas colocándolas boca arriba sobre la mesa. Tiene tres ases. Son buenas cartas, aunque no lo suficiente; te mantienes impasible mientras el corazón te da saltos en el pecho y los tres tipos se inclinan sobre la mesa para ver mejor entre «ooohs» y «aaaahs» de admiración al ver su mano.

Con tu expresión inocente, despliegas tus cartas boca arriba para que todos puedan ver lo que tienes.

Tanto Benjiro como Makio gritan de alegría, y Koji, que estaba a punto de recoger todas las fichas, convencido de que había ganado, mira las cartas, te mira a ti, y vuelve a mirar las cartas.

—¿Qué? —exclama, con una expresión cómica de perplejidad—. ¡Ni hablar!

Sonríes despreocupada, como si te sacaras escaleras de color de la manga y arruinaras a tus oponentes con ellas todos los días.

Benjiro suelta algo en japonés y Makio se echa a reír. Obviamente, se están mofando de Koji, que se ríe ahora afable.

—¡Me doy por vencido! —dice mientras Benjiro y Makio recogen sus bártulos—. Quieren saber si volverás la semana que viene —añade mientras los dos hombres te sonríen—. ¡Dicen que cualquiera que me gane a mí es su amigo! —Todos se ríen, y los chicos cuentan las fichas que les quedan y se terminan sus bebidas. Tú te disculpas para ir al lavabo.

* * *

Mientras te lavas las manos y te retocas el pelo, visualizas a Koji sentado a la mesa con los músculos de los antebrazos contraídos, y ves cómo se te encienden las mejillas en el espejo. Visualizas esos labios, los imaginas pegados a los tuyos... Estás segura de que deben de ser blandos como almohadas y que deben de tener el mismo sabor que una fruta madura. Mientras te secas las manos en el chorro de aire caliente del secador de manos, te fijas en un dispensador de condones que está colgado de la pared junto al lavabo. Y, al verlo, tu mente divaga, yendo más allá de los besos. Te imaginas cómo será Koji en la cama. Ya has tenido buena prueba de su destreza durante la noche. Si maneja la lengua con la misma pericia con la que maneja el cuchillo, debe de ser realmente espectacular, piensas, sonrojándote al descubrirte pensando esas cosas.

Pero la máquina dispensadora de condones te está dando ideas, y, cediendo a un impulso, buscas unas monedas en tu bolso y las introduces en la ranura. Luego haces girar la manilla y un condón envuelto en una bolsita violeta se desliza de la máquina para caer en tu mano. Te lo guardas en el bolso. No estás segura de por qué lo estás haciendo, pero te dices que una chica nunca está del todo segura de nada.

* * *

De vuelta en el restaurante, encuentras a Koji sentado solo a la mesa, barajando las cartas.

—¿Se han marchado los chicos? —preguntas.

—Sí, me han pedido que me despida de ti en su nombre y que te dé las gracias por la partida —dice—. También me han dicho que te diga que a la misma hora y en el mismo sitio la semana que viene. Esperan poder reemplazar a Takumi por ti... Eres mucho más agradable a la vista que él; además, sospechamos que hace trampas.

Sonríes ante el velado cumplido.

—Siento no haber podido despedirme. Me han caído muy bien —comentas, un poco decepcionada de que la noche haya tocado a su fin.

—Son buenos chicos —asegura Koji—. Los dos llevan conmigo desde el principio. Makio es primo mío.

—¿El restaurante es tuyo? —preguntas, impresionada.

—Katsuko es mi hermana. Lo llevamos juntos —responde.

—Es fenomenal —dices—. El mejor *sushi* que he comido nunca. ¡Salvo por los globos oculares!

Koji echa la cabeza hacia atrás y suelta una carcajada.

—¡Los pediste tú!

Niegas con la cabeza al recordarlos.

—Gracias por invitarme a jugar con vosotros —dices, cogiendo el bolso y el teléfono con la intención de llamar para pedir un taxi.

—No pensarás irte ahora, ¿verdad? —Parece decepcionado—. Esperaba que al menos me dieras la oportunidad de recuperar parte de mi dinero.

Le dedicas una larga mirada y tu cuerpo se estremece al pensar en quedarte a jugar una partida más íntima con él. Contienes el impulso de inclinarte hacia delante y pasarle los dedos por el flequillo.

—¿Por qué no? Pero sólo unas rondas más. Luego pediré un taxi.

Volvéis a sentaros, solos los dos con todo el restaurante para vosotros. Las luces iluminan tenuemente el salón y se te acelera la respiración mientras él reparte las cartas. Tomas un generoso sorbo de sake. Necesitas un poco de valor japonés.

Koji te gana la primera mano y también la segunda. Pero la derrota bien merece la pena, aunque sólo sea por ver cómo las comisuras de esos exquisitos labios se curvan hacia arriba cada vez que gana.

Ahora te toca a ti repartir, y, mientras barajas, se te ocurre una idea atrevida. Hasta a ti te sorprende un poco oírte decir lo que dices a continuación:

—¿Por qué no subimos un poco las apuestas?

—¿Que subamos las apuestas? —pregunta Koji, arqueando una espesa ceja.

—Sí, ¿por qué no?

—¿A cuánto quieres subir? —pregunta, y en ese momento sabes que los dos estáis pensando lo mismo. Es tan sólo cuestión de ver quién lo dice primero.

Y eres tú la que se lanza.

—¿Qué tal si cada vez que uno pierde se quita una prenda?

—¡Creía que no ibas sugerirlo nunca! —exclama—. Pero que sepas que tu suerte del principiante no puede durar eternamente. ¡Voy a desplumarte!

—Eso ya lo veremos —le retas. Luego repartes rápidamente, con la esperanza de que no se haya dado cuenta de que te tiemblan las manos. Le ganas la primera mano, con nada mejor que un par de sotas… Un simple golpe de suerte. Él sonríe y se quita la chaqueta de chef sin comentario alguno, levantándose y marcándose el espectáculo de deslizar cada uno de los botones blancos por su ojal, sin apartar los ojos un solo segundo de ti. No lleva nada debajo y te quedas maravillada al ver su pecho lampiño y escultural. Cada uno de sus músculos abdominales está tan definido que es como si se hubiera cincelado con uno de sus cuchillos. Lo miras sin disimulo. Llegados a este punto, es tan poco probable que apartes de él la mirada como que viajes a la Luna.

Él es el siguiente en repartir. Haces un rápido recuento de las prendas de ropa mientras baraja: tú tienes tu vestido, los tacones, el sujetador y las bragas. Sólo cuatro prendas. Él, a su vez, conserva todavía los zapatos, los calcetines, los pantalones y los calzoncillos. Así que, de momento, estáis a la par. Una vez más, das gracias a tu buena estrella por haberte decidido por el tanga para esta noche. Koji tiene razón: tu racha ganadora no puede durar eternamente.

Te las ingenias para defenderte en la segunda mano con dos parejas bajas, pero su par de dieces no puede contigo y se quita los zapatos.

Pierdes la mano siguiente y te toca a ti quitarte los zapatos. Lo haces muy despacio de forma deliberada para provocarlo después del numerito que te ha regalado al desabrocharse su chaqueta de chef. Koji se ríe al verte mientras llena de nuevo las tazas de sake.

Te zumba la cabeza a causa del deseo, y el impulso de tender la mano y pasarla sobre su pecho aumenta con cada segundo que pasa. Entonces, no cabes en ti de gozo cuando Koji pierde las dos manos siguientes una tras otra, y te preguntas si lo habrá hecho adrede. Primero se quita los calcetines; luego se ve obligado a levantarse y dejar caer los pantalones al suelo. Eso lo deja sólo con unos *slips* blancos y luminiscentes que contrastan con el bronceado de su piel. Contemplas sus muslos suaves y torneados y no puedes evitar fijarte en su generosa erección, que aumenta de tamaño por segundos.

—Algo me dice que estoy en manos de una auténtica tahúr —comenta, en un intento por romper la tensión sexual que sube como el humo entre ambos—. Me alegro de que sólo nos estemos jugando la ropa. Si fuera dinero, me habrías dejado pelado.

—Sólo soy una chica con suerte —dices, sosteniéndole la mirada y esbozando una lenta sonrisa. ¿Quién iba a decirte que el póquer podía ser tan gratificante?—. Esto es mejor que ganar dinero, la verdad. Te toca repartir —añades, pasándole la baraja. Sus dedos rozan tu mano cuando te coge las cartas y la tensión aumenta un grado más.

Koji baraja mientras te observa con atención.

—¿Qué apostamos esta ronda? —preguntas con voz ronca.

Deja de barajar durante un segundo.

—¿Qué tal si el que gana se lo lleva todo? —propone.

Asientes. El deseo arde ahora despacio en tu pecho y en tu coño. Koji reparte y tú coges tus cartas, casi temerosa de mirar. Él deja a un lado el resto de las cartas y tú compruebas tu mano una y otra vez, con la esperanza de que alguna valiosa combinación se materialice ante tus ojos, pero no tienes nada. Cuando llega el momento de enseñar las cartas, el único color es el que te sonroja las mejillas mientras descubres tu mano. Koji suelta un grito de alegría al mostrar sus cartas y ves que tiene dos cuatros. No es, obviamente, la mejor mano del mundo, pero sí suficiente para ganarte.

—¡Por fin! —grita con una sonrisa de oreja a oreja—. ¡Yo gano!

—Sí, y el ganador se lo lleva todo —le recuerdas. Dicho esto, te levantas y te metes las manos por debajo del vestido, coges las bragas a ambos lados de las caderas y tiras del encaje hacia abajo, deslizándolas sobre los muslos, primero, y sobre las rodillas y los tobillos, después, antes de quitártelas cuidadosamente de cada pierna.

Koji observa cada uno de tus movimientos con los ojos abiertos de deseo y su erección batallando de forma impresionante bajo la ajustada tela de los calzoncillos. En cuanto has dejado caer las bragas al suelo, te acercas hasta donde está sentado, casi desnudo en la silla, y te sientas a horcajadas sobre él, sintiendo el calor de su cuerpo, y debajo de ti su polla presionando con fuerza contra ti a través de la única prenda que todavía lleva puesta. Te rodea con los brazos y te besa; estabas en lo cierto en cuanto a sus labios: son tan carnosos y blandos que los tuyos se hunden en ellos. Su lengua toca la tuya y sabe a sake. Mientras os besáis, sientes cómo se retuerce contra tu coño desnudo y muy húmedo, y tú te retuerces a tu vez contra él.

Koji desliza su boca caliente hasta un lado de tu cuello y te acaricia con la mano el otro lado, arriba y abajo con unos dedos fuertes y diestros.

Y entonces vuelve a besarte, bajándote los tirantes del vestido y del sujetador y ahuecando la mano para recibir en ella el peso de tu pecho, amasándolo con suavidad. Luego se mete uno de tus pezones endurecidos en la boca, lamiéndolo con una lengua muy ágil. Vuelve a besarte la boca y, mientras lo hace, sus manos se deslizan ligeras hasta tus caderas, por debajo del vestido, acariciando y masajeándote la carne, subiendo más y más hasta que los pulgares de ambas manos te acarician entre las piernas, masajeándote la cara interna de los muslos hasta que por fin te encuentra el coño y lo masajea también.

Cierras los ojos e intentas recordar que debes respirar al tiempo que una oleada de placer te recorre el cuerpo. Bajas las manos para liberar su polla dura y palpitante de la prisión del calzoncillo, y, cuando la acaricias con los dedos cuan larga es, te quedas perpleja al notar su exquisita suavidad: la piel es tan suave al tacto que parece terciopelo.

—Jamás hubiera imaginado que sería tan feliz perdiendo literalmente hasta la camisa —murmura Koji—. Pero, aunque he perdido, he ganado —dice, antes de volver a bajar la cabeza para besarte.

Sin hablar, tiendes la mano hacia atrás en dirección a la mesa hasta alcanzar tu bolso y buscas dentro el condón que has comprado hace un rato. Se lo pasas a Koji y ves cómo abre el envoltorio y se lo pone. Luego vuelve a besarte y le acaricias con suavidad la parte superior de la espalda con las uñas, siguiendo después por los hombros y el cuello hasta la línea del pelo, alternando arañazos suaves que son casi como cosquilleos con otros ligeramente más afilados y apremiantes. Después lo acaricia de nuevo con las uñas cuello abajo y sigues bajando por los hombros, asegurándote de recorrer la zona tierna y sensible de debajo de los brazos, siguiendo después por los costados, y lo oyes entonces jadear sonoramente al sentir el contacto de tus uñas.

Entonces, incapaz de seguir conteniéndote, le coges con la mano la polla enfundada en el condón y te la introduces despacio, conteniendo el aliento mientras te llena hasta el fondo. Y, luego, te balanceas adelante y atrás muy lentamente, acostumbrándote al tamaño y a la forma de Koji dentro de ti. La sensación es tan placentera que resulta casi insoportable, y él capta el mensaje al oír tus gemidos, balanceando él también las caderas adelante y atrás en tándem con las tuyas. Despacio vas ganando velocidad, sin botar sobre él, limitándote a balancearte, y sientes como si te estuviera masajeando el coño por dentro. Cierras los ojos y los aprietas con fuerza, te agarras a sus hombros y entonces él te besa con un abandono tal que durante un instante olvidas dónde estás.

Y entonces no quieres seguir esperando más, así que te balanceas más rápido, y un intenso orgasmo te recorre entera mientras él sigue con sus labios pegados a los tuyos, entrelazando su lengua con la tuya y respirando el mismo aliento. Y sientes cómo tu coño se contrae y se relaja alrededor de su polla al tiempo que le clavas las uñas en la espalda, arañándole con ellas hacia abajo, y la sensación le hace llegar al clímax, y te rodea la espalda con los brazos al correrse, exprimiéndote el cuerpo mientras grita de placer.

Bañada en el alivio de tu propio orgasmo, bajas la frente sobre ese perfecto y sedoso hombro mientras ambos intentáis recobrar el aliento.

—¿Qué tal otra ronda... a doble o nada? —dice cuando por fin puede hablar. No puedes evitar soltar una risilla contra la suavidad de su cuello.

* * *

Más tarde, después de que los dos hayáis vuelto a ganar una vez, Koji te lleva por el restaurante hasta la cocina. Lleva puestos sólo los calzoncillos, y tú te has puesto su chaqueta de chef, que te queda unas cuantas tallas grande y que llevas remangada. Koji prepara una tetera con té verde y tú te sientas en un taburete junto a la barra, soplando tu té para enfriarlo y disfrutando de sus movimientos seguros y diestros mientras seca cada uno de sus cuchillos y los guarda en su funda de cuero.

Koji nota tu mirada fija en él, mete la mano en una de las neveras y saca de ella un rábano perfecto y rojo. Luego selecciona un cuchillo pequeño y de aspecto letalmente afilado y se pone a cortar el rábano, moviendo el cuchillo tan deprisa que parece un dibujo animado. Segundos después, te lo ofrece: ha labrado en él una rosa perfecta. Te ríes, emocionada con la dulzura del gesto, y él guarda el último cuchillo antes de darte otro beso suave.

Regresas tranquilamente a la sala del restaurante sintiendo las piernas como si fueran de goma y él apaga las luces y cierra mientras tú pides un taxi. Decididamente, es hora de volver a casa… y con una sonrisa en los labios. Tu única duda es si pasar por la cafetería de tu barrio que está abierta hasta tarde para tomarte un chocolate y celebrarlo.

Para irte directa a casa, ve a la página 258

 Si decides pasar por la cafetería que está abierta hasta tarde antes de ir a casa, ve a la página 283

Has decidido que el guardaespaldas te acompañe a casa en el deportivo

Ves partir en el taxi al tipo que se parece a George Clooney. Desde luego, era un encanto, pero indudablemente ésta es una noche para pasearte por ahí en un deportivo.

—Bien. ¿Preparada? —pregunta el guardaespaldas con voz grave y acaramelada, mientras se guarda el teléfono en el bolsillo.

—¿Todo en orden? —preguntas, mirando el teléfono.

—Sí, todo bien. Sólo un pequeño malentendido. ¿Vamos? —Sonríe de oreja a oreja y señala el coche.

Vacilas.

—Mi madre siempre me ha dicho que no me suba al coche de un desconocido.

—¿El hecho de que haya sido poli no te hace sentir mejor?

—Un poco, aunque ¿cómo sé que eras un poli bueno y no uno malo?

Sonríe, y, por primera vez, te fijas en sus hoyuelos, por no hablar de esos dientes blanquísimos y perfectos. Ambas cosas ayudan a suavizar su prominente mandíbula.

—A decir verdad, en aquella época a veces me tocó

ser un poco de las dos cosas. Pero te prometo que esta noche seré sólo el poli bueno.

Valoras tus opciones. Normalmente no te subirías a un coche con un perfecto desconocido, pero este tipo no es en realidad un *perfecto* desconocido. Para empezar, te sientes a salvo con él, y normalmente el instinto no te falla. En segundo lugar, es Charlie Dakar, guardaespaldas personal de los Space Cowboys, y se dedica a proteger a la gente. Y, en tercer lugar, esto no es sólo un coche, sino una edición limitada de un automóvil clásico increíblemente único. ¿No rigen normas distintas para esta clase de situaciones?

Acaricias las suaves y preciosas curvas. No puedes evitar preguntarte lo que diría el loco por los coches de tu ex si supiera que estás a punto de dar una vuelta en uno de éstos. O lo que opinaría Melissa si supiera lo que estás planeando y de quién es el coche.

—Vamos, dame tu teléfono —dice el guardaespaldas, tendiéndote la mano.

Curiosa, le das tu móvil. El tipo rodea la parte delantera del coche y le saca una foto con él. Luego vuelve y te da el teléfono.

—Ahí lo tienes —dice—. Envíale la foto a una amiga y dile con quién estás. Así, si te ocurre algo, sabrán por dónde empezar a buscar.

Examinas tu teléfono y ves que ha sacado una foto

de la matrícula, que es, para colmo, SEXGOD 1*. Te recuerdas que el coche no es suyo. De haberlo sido, tan sutil mensaje habría dado al traste con todo. Lo de subirte a un vehículo con un desconocido es una minucia en comparación con el hecho de que ninguna mujer que se precie debería subirse a un coche que lleve una arrogante matrícula personalizada.

—Vaya, no es mala idea —comentas. Le mandas un rápido MMS a Melissa y le cuentas en lo que estás metida, además de decirle que volverás a enviarle otro mensaje dentro de un par de horas para hacerle saber que estás bien.

El guardaespaldas te abre la puerta del copiloto. Te deslizas en el asiento, disfrutando del contacto del cuero fresco y suave contra tu piel. No hay un solo ángulo recto en el interior del coche: todas las superficies son curvas y lisas, y el salpicadero podría ser perfectamente el de una nave espacial.

Él cierra la puerta de tu lado y rodea el vehículo. En cuanto sube se quita la chaqueta y la deja en el asiento trasero, dándote así la oportunidad de inspeccionar los músculos de su brazo, que le tensan las mangas de la camisa. Te preocupaba que apenas cupiera en el coche, pero el interior del vehículo es más amplio de lo que

---

* «Diosdelsexo 1». (N. de la T.)

esperabas, y cuando ocupa su asiento, sobre su cabeza queda espacio más que suficiente para que se sienta cómodo.

Cuando introduce la hebilla del cinturón de seguridad en la ranura de fijación, sus dedos te rozan brevemente el muslo. Ninguno de los dos decís nada, pero sientes que te arde la piel donde te ha tocado. Percibes un pequeño rastro de su colonia, un olor masculino con cierto toque de madera que se funde a la perfección con el del cuero de la tapicería, y, durante un segundo, te acuerdas del señor Intenso. Aunque aquí, sentada junto a este oso, con un cosquilleo en todo el cuerpo ante la idea de recorrer la noche a toda velocidad en un automóvil de alta gama no sientes ni pizca de arrepentimiento.

Le das tu dirección y él la programa en el GPS del coche.

—¿Te importa si vamos por la autopista? —pregunta—. Tendremos que dar un pequeño rodeo, pero a esta hora de la noche, sin coches en la carretera, puede que sea más divertido.

Te lo piensas un segundo.

—De acuerdo. Pero si algo me indica que tienes intención de secuestrarme, tiraré del freno de mano. A toda velocidad. Y ya sabes lo que eso significa. —Le sonríes dulcemente y él se ríe entre dientes, dejando escapar un ronco murmullo.

—No te preocupes. Te prometo que conmigo estás segura —dice, haciendo girar la llave del motor. El coche ronronea, y, cuando le da gas, haciéndolo rugir, sientes toda su potencia recorriéndote el cuerpo. El guardaespaldas pulsa un botón y el techo solar se desliza con un zumbido. Levantas la mirada y ves las estrellas.

El guardaespaldas sale de la plaza de aparcamiento y detiene el coche.

—¿Preparada? —pregunta.

Cuando abres la boca para responder, tan sólo alcanzas a soltar un grito ahogado de entusiasmo, pues pisa a fondo el acelerador, el coche sale despedido hacia delante y la fuerza de la gravedad te aplasta contra el asiento. A medida que la velocidad aumenta, sueltas una carcajada y, visiblemente animado, él recorre las calles a una velocidad endiablada, cambiando de marchas con mano experta al tiempo que sus músculos se contraen con cada cambio. Enciende el sistema de sonido *surround* del coche, te reclinas en el asiento y te relajas gracias a la suavidad del cuero, el ruido sordo de la música y el latido del potente motor palpitando por todo tu cuerpo. Se nota lo cómodo que él está al volante. Está hecho para este coche, y no puedes evitar pensar que tú también.

El motor ruge mientras voláis de noche por la ciudad desierta, la música suena y el viento te revuelve el pelo. Sale a la autopista, frenando apenas al coger una curva, y sientes que el corazón se te para, ingrávido, al derrapar el coche antes de recuperar la tracción. No hay duda de que está fanfarroneando, poniendo a prueba el coche. El vehículo devora los kilómetros y, a esta hora de la noche, tenéis prácticamente la autopista para vosotros solos. Sientes que se te sale el corazón por la boca, y cuando te vuelves a mirarlo, el entusiasmo que ves en su rostro concuerda exactamente con lo que tú sientes.

Entonces, sin previo aviso, y para confusión del GPS, que empieza de inmediato a reprogramar su itinerario, el guardaespaldas da un volantazo hacia la izquierda y coge una salida, con lo que el coche se escora prácticamente sobre dos ruedas. Lo endereza sin esfuerzo y se lanza rampa abajo.

—¡Perdón! —grita más fuerte que la música—. Me está vibrando el móvil. Tengo que ver mis mensajes.

Al entrar de nuevo en la ciudad, para bruscamente delante de una de esas tiendas que abren hasta tarde. No puedes evitar agarrarlo de la pierna cuando el coche se detiene con un chirrido de frenos. Avergonzada, retiras la mano de golpe. Pero es agradable saber que no te equivocabas: a juzgar por su muslo, su cuerpo es puro músculo. Él apaga el motor y, por fin, puedes volver a pensar con claridad.

—Perdona —dices. Estás segura de que la adrenalina te ha encendido las mejillas y de que debes de tener el pelo totalmente revuelto por el aire de la noche.

—¿Por qué? —pregunta, mientras se saca del bolsillo el teléfono que sigue vibrando.

—Por haberte agarrado la pierna.

—Es increíble, ¿a que sí? —dice, y te das cuenta de que también él se ha sonrojado.

—¿Te refieres al coche o a tu pierna?

Se ríe y luego lee el texto de la pantalla del teléfono.

—Mi contacto está esperando —anuncia, con un gesto levemente decepcionado—. Supongo que será mejor que antes te lleve a casa.

Tú también estás decepcionada. Ves a un par de adolescentes lanzando miradas de admiración al auto antes de desaparecer en el interior de la tienda.

—O... —dice, sin terminar la frase.

—¿O qué?

—Si quieres, podrías acompañarme. Daremos un pequeño rodeo. Luego puedo llevarte directa a casa.

—¿De qué va exactamente este «recado»?

—Ya te lo he dicho. Nada ilegal. Tengo que pasar a buscar algo para Charlie. No llevará mucho tiempo. Y —añade con una nueva sonrisa— podemos volver a coger la autopista.

Te lo piensas. Definitivamente, no has disfrutado del

coche todo lo que te habría gustado, por no hablar del hombre que lo conduce. Pero ¿qué demonios trama? Quizá no deberías correr riesgos innecesarios y volver al bar a tomarte la última copa.

Si decides acompañarlo a hacer su misterioso recado,
ve a la página 201

Si le pides que te lleve de vuelta al bar,
ve a la página 222

Decides ir con el guardaespaldas a hacer su misterioso recado

—Iré contigo con una condición —dices—. No..., con dos.

—Dime. Pero no olvidemos quién es el que está aquí haciendo el favor a quién.

—Una: que no intentes meterme en nada que pueda matarme o terminar conmigo en la cárcel. Dos: que me dejes conducir. —Mentalmente calculas lo que has bebido. En realidad, no ha sido más que una copa de vino espumoso. No tienes nada que temer.

—Ni hablar —dice—. Ni de broma. Bajo ningún concepto.

—¿Por qué no? ¿Te da miedo?

—¿Qué miedo ni qué miedo? ¿Tienes idea de lo que cuesta este coche? Es un clásico.

—Sé perfectamente lo que cuesta —mientes.

—No pretendo parecer pedante..., pero ¿realmente crees que podrías manejar un coche de alta gama como éste?

—¿Por qué no lo averiguamos? —Le dedicas una dulce sonrisa.

Él suspira.

Pestañeas con aire seductor.

—Por favooor...

Te mira fijamente y ves cómo le da vueltas a la idea en la cabeza.

—Mira, hagamos una pequeña prueba. Conduciré hasta la farola que está al final de la calle, y, si crees que no puedo llevar este coche, me bajo y te dejo conducir a ti.

Sigue sin parecer convencido.

—Te prometo que no discutiré. Si me dices que quieres que te devuelva el coche, te lo devuelvo sin rechistar. Palabra de honor —dices, inventando una especie de saludo—. ¿Te he contado que fui guía en las Scouts?

Vuelve a suspirar. Luego entorna los ojos como si estuviera sopesando las consecuencias.

—De acuerdo, pero ahora me toca a mí poner un par de normas.

—Oooooh, así que nos ha salido mandón. Me gusta.

—¡Hablo en serio! Nada de forzar las marchas, pueden resultar un poco duras. Y ojo con el embrague.

—Hecho.

—Y nada de saltarte ningún semáforo en rojo.

—Sí, agente.

—Y jamás le dirás a Charlie ni a nadie que me he dejado engatusar.

—Mis labios están sellados.

—Si te saltas cualquiera de esas normas, tendré que sacar toda mi artillería.

Mierda.

—¿Llevas armas encima?

—Claro. —Levanta los brazos y contrae primero el bíceps del brazo derecho y luego el del izquierdo—. Ésta y ésta.

Son enormes. Te ríes y él sonríe de oreja a oreja.

—No puedo creer que me hayas convencido —dice al tiempo que saca toda su mole del asiento del conductor—. Espero de verdad que sepas lo que haces.

Rodeas el coche a la carrera para ocupar el asiento del conductor antes de que cambie de opinión, deteniéndote para quitarte los zapatos. Si vas a poner a prueba esta bestia, los tacones sin duda van a ser un obstáculo. En cuanto él se desliza en su asiento, le pones los zapatos en el regazo.

—Ahora sí que estoy empezando a arrepentirme de esto —suelta.

El asiento está tan retirado hacia atrás para dar cabida a su corpulencia que apenas llegas a tocar los pedales con los dedos de los pies. Él se inclina sobre ti para ayudarte a ajustar el asiento, pegando el brazo contra tu pecho al hacerlo.

—Lo siento —dice.

—No lo sientas.

El aire que os separa está de pronto cargado, y se te ocurre que si finges que estás teniendo problemas con el cinturón de seguridad, quizás él vuelva a inclinarse sobre ti. Luego inspiras hondo y te sacudes de encima la sensación que ha dejado en ti el contacto de su brazo. Necesitas concentrarte para orientarte. En cuestión de segundos, controlas las marchas, los intermitentes y el cuentarrevoluciones, y confías en que sabes lo que haces.

El guardaespaldas te pone la mano en la pierna para reclamar tu atención. Te gusta la sensación: sexy y reconfortante. Te mira, ansioso y nervioso a la vez.

—¿Me prometes que no nos vamos a estrellar?

—Te lo prometo —dices—. Prometo por nuestras vidas que no chocaré esta edición limitada de monstruo deportivo fenomenalmente caro.

—Y recuerda lo que te he dicho de las marchas.

—Lo recuerdo.

—Y las otras normas.

—Vale, vale. ¿Podemos arrancar?

Vuelve a suspirar y retira la mano.

—Qué demonios. Vamos.

Una nueva descarga de adrenalina te recorre el cuerpo cuando haces girar la llave del contacto y sientes cómo ruge el motor. Apagas el GPS para evitar cualquier distracción. Es mucho más excitante ahora que ocupas el asiento del conductor. Inspiras hondo, sueltas el freno de mano, pones con suavidad el coche en marcha y pisas el acelerador.

—¡Despacio, fiera! —oyes que grita el guardaespaldas cuando sales despedida hacia delante. Controlas el volante, acelerando lo suficiente para tener un subidón, pero no tanto como para que el hombre se mee de miedo en los calzoncillos. Recorres en cuestión de segundos los casi doscientos metros y ejecutas una parada absolutamente delicada a la altura exacta de la farola prometida. Ni una calada, ni una vibración, ni tan siquiera un mínimo roce al cambiar de marcha. Hasta tú estás impresionada.

Te vuelves a mirarlo con recato. Está agarrado al asiento con las dos manos, mirándote asombrado.

—¡No me esperaba algo así!

—¿Contento? ¿Ya podemos irnos?

Asiente y sonríe de oreja a oreja, y tú das gas rápidamente, compruebas los retrovisores y pisas a fondo. Cuando estás segura de que no te mira, desactivas el control de tracción. Esto va a ser divertido. Esperas hasta que el cuentarrevoluciones alcanza la zona roja, desembragas y pisas a fondo el acelerador.

—¡La madre que te parió! —grita cuando el coche sale despedido hacia delante.

—Tus normas no decían nada de que esté prohibido derrapar —gritas por encima del estruendo del motor. El coche es supersensible, y cuando giras la esquina que está al final de la calle, la parte trasera derrapa. Corriges la posición del volante para compensar el desequilibrio y decides entonces reducir la velocidad y volver a activar el control de tracción antes de provocarle un infarto a tu copiloto.

—De acuerdo, de acuerdo, ¡me has convencido! —grita.

—¿Sigues asustado?

—Joder, qué bien conduces.

Reduces a tercera, compruebas que el cruce que tienes delante está despejado y vuelves a pisar a fondo el acelerador.

—Gracias.

—¿Dónde has aprendido a hacer eso? ¿No serás acaso la hermana de Lewis Hamilton?

—Ya me gustaría. Es todo gracias al Grand Theft Auto.

—¿Al Grand Theft Auto? ¿El juego de la Xbox?

—Es broma —mientes.

Se ríe, y notas que vuelve a estudiarte con atención, y esta vez la imagen que tiene de ti es totalmente distinta. Eres consciente de que se te ha subido la falda del vestido mientras pisabas el acelerador y el embrague, pero no te la bajas.

—¿Y bien? —preguntas—. ¿Adónde vamos?

—Al sur. Aunque ¿qué te parece si tomamos el camino más largo?

Ambos volvéis a sonreír de oreja a oreja. Luego pisas a fondo.

Mientras te deslizas hacia la autopista, dejando que suba la aguja del velocímetro, sientes cómo él se relaja a tu lado. Te indica que tomes una salida que lleva a una de las zonas más caras de la ciudad, vuelve a reclinarse en su asiento y sube la música. A pesar de que sientes curiosidad por vuestro destino, el guardaespaldas no podría oír ninguna pregunta debido al rugido del motor, el ritmo de la canción y el ruido del viento, y llegas a pensar que quizá sea ése el motivo por el que ha subido el volumen.

Aun así, te gusta que no intente interferir en tu conducción. Es agradable sentir que confían en ti, e incluso cuando dejas que el coche vaya un poco a la suya, acelerando hasta alcanzar una velocidad que te hace sentir maravillosamente temeraria, él se limita a mirarte y a sonreír. Cuando le devuelves la sonrisa, él apoya con suavidad un brazo sobre tu reposacabezas y te pone, con idéntica suavidad, la mano en la nuca, masajeándote con los dedos la columna de nervios situada justo debajo del pelo. Cuando te toca, relajas los hombros y sientes que la tensión desaparece de tu cuello. Una parte de ti desea que esto no termine nunca: sus manos fuertes sobre tu piel, tu pie pisando el acelerador, las calles vacías de la ciudad a tu alrededor, el cielo nocturno sobre tu cabeza y las sensaciones que te transmite el potente motor que hace vibrar tu asiento.

Demasiado pronto retira la mano de tu nuca y la echas de menos al instante. Te indica que entres en un aparcamiento de varias plantas situado junto a un alto edificio de cristal. El aparcamiento parece desierto. Todas las barreras están levantadas.

Aparcas junto a la cuneta y, al volverte hacia él, le lanzas una mirada asesina.

—¿En serio? ¿Un aparcamiento desierto?

Se encoge de hombros.

—Creía que habías dicho que no íbamos a hacer nada ilegal. Porque este lugar tiene toda la pinta de un sitio para «hacer algo ilegal».

—Confía en mí.

Dudas. Estás sentada en el asiento del conductor. En el peor de los casos, sencillamente te largas de aquí: pisas a fondo y sales disparada. Siempre puedes devolver el coche en el bar y dejarlo en manos de su verdadero dueño más tarde.

Inspiras hondo, vuelves a dar gas y conduces hacia la entrada, concentrada ahora en hacer girar el coche por las múltiples rampas lo más rápido posible.

El guardaespaldas te indica que subas hasta la azotea, que también parece desierta. Desde aquí, lo único que ves es el cielo nocturno y kilómetros de ciudad en todas direcciones. Con un gesto, te indica que gires a la izquierda. Conduces despacio por el desierto paisaje de hormigón, pisando bruscamente el freno cuando un par de faros destellan delante de ti. Alcanzas a vislumbrar la silueta de un BMW blanco de lujo aparcado a unos cincuenta metros de vosotros.

—No pienso avanzar ni un metro más —dices.

El guardaespaldas levanta las manos en un gesto de derrota.

—De acuerdo, de acuerdo. —Abre la puerta del copiloto y baja del coche con gran esfuerzo—. Ahora vuelvo.

Ves cómo se acerca tranquilamente al Beemer* y, acto seguido, ejecutas un cambio de sentido en tres movimientos por si tienes que salir de aquí a la carrera. Has visto escenas similares en las películas de mafiosos, y podría pasar cualquier cosa, así que mantienes el coche encendido y con la marcha puesta. Sientes que el corazón te late a mil por hora, y tienes agarrado el volante con tanta fuerza que notas tus uñas clavándose en el cuero. Así deben de sentirse los conductores de las bandas de ladrones cuando esperan delante de un banco a que sus compañeros salgan volando por la puerta.

Miras por el espejo retrovisor y ves al guardaespaldas asomarse por la ventanilla delantera al oscuro inte-

---

* Nombre que reciben los automóviles de la marca BMW. *(N. de la T.)*

rior del BMW. Está demasiado lejos para que puedas llegar a ver qué es lo que ocurre allí exactamente. Te obligas a mantener la calma, pero lo único que alcanzas a imaginar es el interior de la celda de una cárcel. Lo matarás por haberte metido en esto.

La transacción lleva menos de un minuto. Luego el guardaespaldas regresa al coche caminando despreocupado y con las manos en los bolsillos. El BMW arranca y se desliza despacio, cruzando la azotea, para ganar luego velocidad y encender las luces al llegar a la rampa.

El guardaespaldas sube al coche, y tras cerrar la puerta se pone el cinturón.

—¿Bien? —pregunta.

—¿Y ahora qué? —dices, sin tan siquiera preocuparte por disimular tu ira—. ¡Lo que has hecho no podía ser más ilegal! Me has mentido.

Te pone una bolsa de papel en el regazo.

—Compruébalo tú misma.

Esperando encontrarte con una bolsa de polvo blanco o de algo igualmente sospechoso derramándose de su interior, te quedas de piedra cuando lo que ves es un paquete de plástico que contiene varias pastillas de un color azul brillante. Las reconoces de inmediato.

—¿Viagra?

Asiente.

—Viagra. El tipo del BMW es el dueño de la farmacia de Kent Street que está abierta las veinticuatro horas.

—¿Viagra? Pero esto no es ilegal. ¿A qué viene tanto secretismo?

—Imagina si la prensa se entera de que un par de los chicos de los Space Cowboys tienen problemillas para empalmarse. No va mucho con la imagen de una estrella del rock, ¿no te parece?

Te ríes.

—No, no va nada. Debo decirte que ahora me alegro mucho de no haberme ido con Charlie.

—Y eso que no sabes ni la mitad.

Te lo quedas mirando, recobrando la seriedad.

—Perdona por haber desconfiado de ti.

—No te preocupes. —Sonríe, y en su rostro vuelven a aparecer un par de curiosos hoyuelos—. Oye... —dice a regañadientes—, ha sido divertido, pero será mejor que vuelva para darles esto a los chicos. ¿Adónde quieres que te lleve?

Sopesas tus opciones. ¿De verdad quieres volver directa a casa, después de todo lo que acabas de vivir? Podrías regresar al bar y tomarte la última copa. Aunque, a decir verdad, te gusta la idea de que te lleven a casa así, con estilo.

Si le pides que te lleve a casa, ve a la página 213

 Si le pides que te lleve de vuelta al bar, ve a la página 222

Le has pedido que te lleve a casa

—¿Qué te parece si me devuelves el coche? —truena con una sonrisa de oreja a oreja.

Aunque dé la sensación de que accedes muy a pesar de ti, lo cierto es que, por mucho que hayas disfrutado manejando a la bestia, no ves el momento de reclinarte en tu asiento y ver cómo esos músculos vuelven a obrar su magia manejando las marchas.

Intercambiáis vuestros puestos y os reís cuando él tiene que reajustar el asiento, echándolo hacia atrás del todo. Vuelves a darle tu dirección y él la programa una vez más en el GPS del coche.

—Gracias por llevarme contigo —dices mientras él maneja el coche sin esfuerzo aparente por las curvas de las rampas del aparcamiento en dirección a la salida—. Ha sido un subidón increíble.

—Gracias por haber venido conmigo en vez que irte con Charlie —responde—. No creo que nadie le haya dado calabazas hasta hoy.

—Bueno, yo no estaría tan segura. Si necesita Viagra, seguro que debe de ser todo un experto en quedarse con las ganas.

Es un chiste patético, pero el guardaespaldas da una palmada en el volante y al echarse a reír se le forman los hoyuelos de nuevo en las mejillas. Vuelves a poner tu mano en su pierna y se la aprietas con suavidad. Quizá sea por la adrenalina de haber conducido un coche tan veloz y por los efectos secundarios del asunto «ilegal», que todavía recorren tu cuerpo, pero lo tocas con toda la naturalidad del mundo.

Su respuesta no se hace esperar: mantiene una mano en el volante y te pone la otra en la pierna, justo encima de la rodilla, cruzando su brazo sobre el tuyo. Notas su mano fuerte y fría en tu pierna, y te sientes salvaje y atrevida. Un estremecimiento de deseo te recorre el coño, y, de pronto, te das cuenta de que quieres más, así que retiras la mano que tienes en su rodilla y la pones sobre la suya, que está encima de tu pierna. Luego haces que la suba despacio por tu muslo.

El guardaespaldas aparta la vista de la carretera y te mira un instante. Le dedicas la más deslumbrante de las sonrisas antes de subir su mano todavía más por tu muslo hasta deslizarla bajo el borde del vestido. Él te lanza una sonrisa y vuelve a concentrarse en la carretera, sin apartar los ojos de ella. Frena un poco y, luego, manteniendo todavía perfectamente el control, sube un poco más la mano.

Separas las piernas e inspiras hondo, disfrutando plenamente de la sensación que te provocan sus dedos. Te masajea suavemente el muslo mientras sube cada vez más la mano.

La autopista de cuatro carriles está desierta. Sobre el asfalto sólo estáis el guardaespaldas, tú y el deportivo.

Separas las piernas tanto como te lo permite el asiento y te reclinas todo lo que puedes, ladeando la pelvis para que el guardaespaldas pueda meterte mano a gusto. Cuando sus dedos tocan el encaje del tanga, sabes que debe de notar lo mojada que estás, y ves que en su rostro asoma una pequeña sonrisa.

Activa el control de velocidad y desliza los dedos por debajo del encaje de tus minúsculas bragas violetas, pasándolos a continuación suavemente por tu mata de vello púbico. Luego te acaricia la raja arriba y abajo y desliza los dedos entre tus labios. Empujas la pelvis contra su mano, deseando que no pare. Después de provocarte durante unos instantes, te mete un dedo y cierras los ojos, dejando escapar un suspiro. En cuestión de segundos, te ha encontrado el clítoris y pasa el dedo por el punto sensible mientras va metiéndote y sacándote otro dedo. Pegas bien los pies al suelo del coche y te preparas mientras él sigue frotándote. Tu respiración es cada vez más acelerada y no puedes parar de levantar las caderas una y otra vez.

Tal vez sea porque sabes que probablemente no volverás a ver a este tipo, o porque estás en un deportivo de edición de coleccionista, o porque puedes ver las estrellas sobre ti, pero el caso es que estás totalmente desinhibida.

Te coges un pecho y sientes la dureza del pezón. Luego levantas un pie desnudo y lo apoyas sobre el salpicadero delante de ti y él te mete un dedo más, llenándote con él mientras sigue trazando lentos círculos alrededor de tu clítoris. El viento susurra, revolviéndote el pelo, y no puedes contener un gemido. Después él mueve los dedos cada vez más rápido, metiéndotelos y sacándotelos más y más deprisa, y te agarras a los lados del asiento con las manos. Y entonces, sintiendo el cuero caro y la vibración del motor debajo de ti, mientras tienes sus dedos dentro, gritas al correrte y te estremeces con la cabeza apoyada en el reposacabezas y los ojos fuertemente cerrados.

Cuando, poco a poco, aterrizas, notas que retira los dedos, aunque sigue con la mano sobre la parte superior de tu muslo, masajeándote con suavidad la piel; estás segura de que nota cómo te tiemblan las piernas.

Finalmente, abres los ojos al sentir que el coche aminora la velocidad y descubres que estás en una callejuela tranquila y arbolada. Tardas un momento en reconocer tu calle. El guardaespaldas aparca delante de tu bloque de pisos y apaga el motor. Luego se inclina sobre ti y te besa, entrechocando sus dientes con los tuyos al tiempo que vuestras lenguas se entrelazan. Por fin, se inclina hacia atrás con los ojos brillantes.

—Menudo paseo —comentas cuando consigues recobrar el aliento, sintiéndote tímida y perpleja ante tu comportamiento. ¿Qué diantre te ha ocurrido? Te incorporas en el asiento, te bajas la falda e intentas peinarte un poco, aunque tienes el pelo revuelto y enredado.

El guardaespaldas nota tu cambio de humor y se inclina hacia ti.

—Oye, ven aquí —dice con su voz grave, levantándote fácilmente del asiento y sentándote en sus rodillas. Te sujeta y te aparta el pelo de la cara, pasándotelo por detrás de las orejas—. No seas tímida. Ha sido fantástico —dice—. Eres fantástica.

Te sonrojas.

—Es que normalmente no soy tan... tan... tan...

Sonríe y vuelve a besarte largo y tendido, de modo que no tienes ya que buscar algo que decir. Le rodeas el cuello con los brazos y lo besas tú también. Esta vez el beso es menos urgente, y su lengua, suave y delicada. Te imaginas cómo debe de ser tener esa lengua recorriéndote el cuerpo entero en un espacio mayor que el asiento de este coche. Por ejemplo, en una cama de matrimonio.

Cuando a punto estás de invitarlo a subir contigo, notas algo que vibra debajo de ti. Te apartas del beso, sorprendida, y él se ríe, abrazándote de forma más holgada mientras se mueve en su asiento para coger el móvil. Te llevas un dedo a los labios cuando él contesta la llamada, con su boca tan cerca de tu oreja que llegas a notar el calor de su aliento.

—Hola —dice—. Sí, sí. Solucionado. En veinte minutos estoy allí. —Vuelve a guardarse el móvil en el bolsillo—. El deber me llama. Disculpa, pero tengo que marcharme.

—¿En serio? Lo siento.

—Más lo siento yo, créeme. —Te toma la cara con las manos y vuelve a besarte apasionadamente.

—Pero no he podido devolverte el favor.

Te coge de la barbilla y sonríe.

—No te preocupes. Casi me gusta la idea de que me debas una.

—Ya sabes dónde vivo.

Abre la puerta del coche y se las ingenia para levantarse, contigo todavía cómodamente en brazos, como si no pesaras nada. Luego te deja en el suelo sin ningún esfuerzo, sobre tus piernas todavía temblorosas, antes de asomarse al interior del coche por la ventanilla y sacar tus zapatos y tu bolso. Después se pone de rodillas delante de ti. Te apoyas en su musculoso hombro para mantener el equilibrio y sientes cómo te palpita el coño al notar su contacto mientras te pone con delicadeza primero un zapato y luego el otro en tus pies desnudos. Después se levanta y vuelve a besarte. Por fin, se separa de ti, pero cuando toca la manilla de la puerta, se vuelve a besarte por última vez.

—Esperaré a verte entrar —dice, señalando con una inclinación de cabeza el portal de tu casa.

—Un guardaespaldas de la cabeza a los pies —comentas, y te vuelves para entrar en casa.

—A tu servicio —responde con una sonrisa y un saludo—. Buenas noches, señora de Lewis Hamilton.

—Buenas noches, señor Guardaespaldas. Ha sido... ¡Guau! Divertido es poco.

En cuanto estás sana y salva dentro del edificio, te vuelves para ver cómo el 350Z desaparece en la noche a toda velocidad. El guardaespaldas saca el brazo por el techo y te saluda con la mano.

Ahora lo único que quieres es tumbarte en tu sofá y relajarte, quizá con un DVD y un cuenco de palomitas.

 Ve a la página 280

La caja de juguetes de Miles no iba contigo, así que te has ido de su casa

Te reclinas en el asiento del taxi y dejas escapar un profundo suspiro. El asunto de la maleta llena de juguetes estaba empezando a resultar demasiado pervertido para tu gusto. Te alegras de haberte ido. Es innegable que Miles es un hombre condenadamente sexy, pero, por si no lo sabías antes, ahora ya lo sabes: los látigos y las cadenas no te van.

Mientras el taxista conduce por las calles, sonríes para tus adentros al pensar en la noche loca que has pasado hasta ahora: el chiflado del pecho peluca, la loca y arrogante estrella del rock, su corpulento guardaespaldas, la hermosa mujer del lavabo del bar, por no hablar del joven barman con ese cuerpo capaz de hacer llorar a una mujer hecha y derecha. Y eso ha sido sólo el preludio: no es de extrañar que estés tan caliente.

Te planteas pasar por la cafetería de tu barrio que está abierta hasta tarde y comprarte un chocolate caliente de camino a casa. Sin embargo, la idea de meterte en la cama te atrae, aunque no necesariamente para dormir. Sientes entre las piernas un ávido deseo que precisa atención. Puede que sea la noche perfecta para sacar a Mr. Rabbit de su envoltorio.

Si quieres pasar por la cafetería de tu barrio que está abierta hasta tarde, ve a la página 283

 Si quieres irte directa a casa y disfrutar de Mr. Rabbit, ve a la página 295

Has decidido volver al bar a tomarte la última copa

Entras con cierta cautela, pero no hay ni rastro de las estrellas del rock ni de sus fans ni, lo que es más importante aún, de Pecho Peluca, a Dios gracias. Todavía quedan algunos clientes en el bar, aunque el asiento que habías ocupado horas antes está vacío, así que te diriges hacia él y te sientas con un suspiro de alivio. A pesar de que tus zapatos son sorprendentemente cómodos (con lo que te han costado, ya pueden serlo), ninguna chica puede andar paseándose por ahí eternamente con estos tacones.

A tu lado hay un grupo de mujeres bastante ruidosas que disfrutan de una especie de despedida de soltera, tomando cócteles de colores a mansalva. Por fin, alcanzas a ver al adorable barman, que ya no sabe cómo evitar sus maníacos acosos y flirteos.

El chico y tú cruzáis una mirada y, a menos que estés totalmente equivocada, su rostro se ilumina. Te dice, articulando para que le leas los labios: «Ahora voy», y vuelve a ponerle unas copas a una rubia estridente que está intentando meterle su tarjeta de visita por el pecho de la camisa.

Hay demasiado ruido en el bar como para telefonear a Melissa —la mujer que tienes sentada en el taburete de al lado pide a gritos su copa al tiempo que intenta llamar la atención del barman agitando enérgicamente los brazos—, de modo que le envías un mensaje mientras él se acerca apresuradamente por el otro lado de la barra con un mejunje de color rosa chillón.

De refilón, ves cómo tu vecina le arrebata la copa de las manos y grita:

—¡Salud!

Al segundo siguiente, el contenido de su copa te llueve encima mientras ella resbala desde el respaldo de su asiento y se estampa contra el suelo, agitando los brazos como un molinillo.

Sus amigas chillan y corren en su ayuda, pero, aunque la chica maldice como una camionera, parece indemne. Ojalá pudieras decir lo mismo de tu vestido negro favorito. La mayor parte de su copa (¿de verdad ha sido sólo una copa? Cualquiera diría que era una garrafa) ha ido a parar directamente a tu vestido y ahora sientes cómo el líquido te gotea por el escote y te cae sobre el regazo. Además, tienes toda la cara salpicada de cóctel, así como los brazos y el cuello, el teléfono y el bolso.

Desesperada, bajas la vista hacia el desastre. Pareces una participante de un concurso de Miss Camiseta Mojada, aunque mucho menos sexy. La bebida es claramente azucarada, y, a medida que va bañándote, la sientes pegajosa y asquerosa.

Debajo de tu nariz se materializa un paño húmedo que sostiene la mano del barman.

—Lo siento mucho —se disculpa—. Debería haberme negado a servirle la copa. Está totalmente borracha.

—No es culpa tuya —dices, viendo cómo las componentes de la despedida de soltera no tienen ninguna intención de disculparse mientras se dirigen a gritos hacia la salida. Las amigas de tu agresora borracha, que sigue tambaleándose y maldiciendo, la sostienen. Esperas que mañana se despierte con la peor resaca de su vida.

Te secas el pecho con el paño, pero vas a necesitar algo más que una simple toalla para reparar todo este desastre. Estás muy molesta. Ya ha sido una noche bastante rara, y, además, le tienes mucho cariño al vestido, que, después de lo que acaba de sufrir, va a necesitar que lo lleves a una buena tintorería.

—¿Puedo ayudarte en algo? —El barman te ronda ansioso, aparentemente casi tan molesto como tú.

—No, pero gracias de todos modos. Espera... Quizá podrías pedirme un taxi. Voy a tener que irme a casa a lavarme.

—A estas horas de la noche, tardará por lo menos veinte minutos en llegar —dice—. Bueno, siempre puedes subir a nuestra casa y usar nuestro cuarto de baño.

—¿A nuestra casa? ¿Subir?

—Sí, mi primo vive arriba: el trabajo incluye alojamiento. Yo estoy instalado allí, cuidando del apartamento mientras lo sustituyo. Es para nuestro uso particular. Es minúsculo, pero podrás... hum... limpiarte o lo que sea, y lavarte el vestido, ya sabes, hasta que podamos encontrarte un taxi que te lleve a casa.

Te tienta su propuesta. No ves el momento de quitarte esta porquería pegajosa de encima..., y la idea de esperar a llegar a casa te resulta insoportable.

—Por favor, no es ninguna molestia. Me siento fatal —insiste—. Mira, ese de allí es el encargado. Esto se ha calmado un poco. Seguro que no le importa que me vaya antes. Él puede ocuparse del bar durante la última hora, y así yo podré ayudarte.

El encargado, alertado por la conmoción, ha acudido ya a la escena y ha ordenado retirar los cristales rotos y fregar después el suelo. Ahora se inclina hacia ti y también se disculpa:

—Lamentamos lo ocurrido, señora. Me encargaré personalmente de invitarla, a usted y a un amigo, a sus copas la próxima vez que venga.

Intercambia algunas palabras con el barman, que se vuelve hacia ti con una sonrisa:

—Todo arreglado. Él se encarga del bar. Vamos, tenemos que quitarte este vestido.

Una décima de segundo más tarde, el chico cae en la cuenta de las palabras que acaba de pronunciar y se sonroja de la cabeza a los pies. Jamás habías visto a un hombre sonrojarse así. Tan avergonzado está que, a pesar de tu exasperación, no puedes evitar sonreír, y enseguida te das cuenta de que el encargado también reprime una sonrisa.

—Te sigo —dices lo más animada que puedes.

* * *

Lo sigues por una salida situada detrás de la barra y sales a un pasillo oscuro en el que hay una puerta negra anodina. La puerta da a un estrecho tramo de escalones que os llevan a los apartamentos situados encima del bar. En el primer piso, pasas por delante de una pequeña habitación con fluorescentes, y el barman señala una hilera de lavadoras y secadoras que funcionan con monedas.

—¿Lo ves? Estarás como nueva en un periquete.

Te conduce a un apartamento minúsculo y visiblemente caótico. Hay una bicicleta de montaña apoyada de cualquier manera contra la pared, montones de libros de vivos colores por todas partes y la cocina abierta más pequeña del mundo a la derecha.

Tu nuevo amigo te indica el baño, que está a la izquierda. Te asomas a mirar con cautela, pero, sorprendentemente para un apartamento de soltero, está limpio, a pesar de que la bañera tenga varias décadas de antigüedad. En las repisas que hay sobre el lavabo hay útiles de afeitar, y una toalla cuelga torcida de la barra, pero has visto baños mucho peores, incluido el de tu casa.

—Espera. Te daré una toalla... Si quieres, puedes ducharte. Debajo del lavabo hay detergente para tu vestido, por si lo necesitas.

El barman te pone entre los brazos una toalla que debe de tener la misma antigüedad que el baño, aunque es grande y está inmaculada. Luego sale.

—Tómate tu tiempo. Mientras tanto, prepararé algo caliente de beber.

En cuanto se cierra la puerta del baño, te quitas el vestido y contemplas el desastre. Vas a tener que lavarlo entero: el líquido pringoso ha empapado la tela. Pero ¿cómo piensas salir sin ropa? Vas a tener que pedirle prestada una camisa o algo.

También tienes el sujetador empapado y te lo quitas. Genial. Ahora estás desnuda con un tanga, los tacones y los restos de un enorme cóctel rosa, en el cuarto de baño típico de un piso de estudiantes de un completo desconocido, sin nada que ponerte. Y sigues cubierta de pringue.

Te desnudas del todo y te metes en la bañera, donde intentas descubrir cómo funcionan los grifos, y usas la anticuada ducha de teléfono para quitarte el pringue del cuerpo. El gel de ducha desprende un agradable olor a lima. El agua caliente te reconforta, y empiezas a sentirte ligeramente mejor, incluso a pesar de que probablemente a estas alturas se te haya corrido el maquillaje y tus ojos parezcan los de un oso panda y tu pelo, que lo tenías cuidadosamente peinado, se te haya ahuecado a causa del vapor.

Sales por fin de la bañera y lavas el vestido y el sujetador en el lavabo, escurriéndolos todo lo que puedes e intentando absorber la humedad con la toalla. Y ¿ahora qué? Te envuelves en la toalla y te la anudas firmemente sobre los pechos antes de entreabrir la puerta con aire despreocupado.

—Ejem… ¿Hola? ¿Te parece que podría usar la secadora? —gritas—. Y ¿tendrías una camiseta o algo que pudieras prestarme?

El barman asoma la cabeza por la puerta de la cocina y te mira de hito en hito.

—¿Qué? —preguntas, a la defensiva.

—Nada. Es sólo que ahora pareces más joven —suelta—. Espera, te traeré una camisa. Un momento…

Desaparece por otra puerta y vuelve a aparecer con una camiseta enorme.

—Dame tu ropa. La bajaré a la lavandería. —Le das el vestido y el sujetador, y esta vez los dos os sonrojáis.

Él se recupera primero.

—Vuelvo en un segundo. Cuando estés lista, tienes té en la cocina.

Regresas al cuarto de baño y estudias tu nuevo atuendo. El eslogan que cruza el pecho de la camiseta dice así:

DIOS HA MUERTO – *Nietzsche*
NIETZSCHE HA MUERTO – *Dios*

«Esta noche no podría ser más rara», piensas. Has pasado de ser una mujer adulta y segura de sí misma que ha salido una noche a divertirse a ser un anuncio andante de una sociedad que organiza debates…, además de haber perdido la mitad de tu ropa interior. Vuelves a ponerte el tanga y los tacones antes de hacer lo propio con la camiseta y de limpiarte los borrones más evidentes de maquillaje de debajo de los ojos. Tu aspecto no puede ser más peculiar. El barman tiene razón: con la cara lavada y la camiseta de la reina de una fiesta de pijamas puesta, pareces más joven. Sin embargo, los tacones de furcia borran cualquier atisbo de inocencia, aunque no estás segura de que te apetezca moverte descalza por un lugar desconocido como éste.

Bien, es hora de volver a la cocina. Ves pegado a la nevera un calendario de turnos del bar y te intriga ver una equis mayúscula escrita en muchos de los espacios. Te recuerda a los mapas del tesoro en los que la equis marca el punto exacto de los escondrijos.

Justo en ese momento, el barman vuelve brincando a la cocina.

—Bueno, pues tendrás la ropa seca dentro de unos cuarenta y cinco minutos. Lamento de verdad todo esto. Me siento fatal...

—¿Qué significa esta equis? —preguntas, tanto en un intento por evitar otra ronda de disculpas como por simple curiosidad.

—¡Ah! —Parece ligeramente avergonzado—. Soy yo. Me llamo Xavier. Sí, ya sé que suena a nombre de estrella del porno; por eso mi familia y los amigos me llaman Equis. Al menos, así es como mi primo me pone en el calendario de turnos. ¿Quieres miel con el té?

«¿Miel con el té?» Contienes la risa. ¿Se puede saber qué clase de estudiante es éste?

—Hum, sí, por qué no —respondes. Xavier echa un líquido aromático de color caramelo en dos tazas y las pone en una bandeja junto con la miel y un par de cucharas—. Sígueme —dice. Luego coge la bandeja, se aleja por el corto pasillo y abre una puerta con el hombro de un empujón.

Obviamente, se trata de su dormitorio, y te detienes en el umbral dudando, aunque él ya ha empezado a disculparse:

—Lo siento mucho, no tenemos salón, porque mi primo lo ha convertido en su habitación. Podemos quedarnos en la cocina...

—No, aquí está bien —dices. De hecho, estás fascinada. Esperabas encontrarte con consolas y hediondas zapatillas de deporte, pero lo que tienes ante tus ojos es una mezcla de celda de monje y misteriosa gruta oriental. La cama, antigua y de una plaza y media, tiene un sencillo edredón blanco, y de la pared cuelga un grabado japonés. Hay velas por todas partes y una vara de incienso humea en la repisa de la ventana. Ves también un pequeño Buda de bronce en la mesita de noche, una alfombrilla de yoga enrollada en un rincón y libros por doquier: apilados junto a la cama, en las torres de cajas de vino que hacen las veces de estanterías y encima del escritorio antiguo, donde un portátil plateado ocupa un lugar de honor.

Te encantan las habitaciones con libros: ayudan a entablar una conversación, por no hablar de que dicen mucho de las personas. Te acercas despacio a echar un vistazo e inmediatamente ves la clase de cosas que cabría esperar de alguien interesado en las religiones orientales: montones de títulos sobre hinduismo, taichi, poesía persa y ese tipo de cosas, aunque también una cantidad importante de novelas. Aunque la literatura no es lo tuyo, sí reconoces la ficción de calidad: *El atlas de las nubes* de David Mitchell, *El cuento de la criada* de Margaret Atwood, mucha obra de Ursula K. Le Guin y de Philip Pullman.

—Me encantó —dices, sacando un poco *El atlas de las nubes*—. ¿Has visto la película? —Tiras un poco más fuerte para sacarlo del todo, y el que está al lado sale también, cayendo al suelo—. Huy, perdona —te disculpas al tiempo que te agachas para recogerlo. Sólo cuando te incorporas y ves la cara de Xavier, que vuelve a estar teñida de escarlata, con la boca ligeramente entreabierta, recuerdas que llevas puesta una camiseta que te cubre hasta los muslos y logra mantenerte más o menos decente… siempre que evites agacharte.

Rápidamente, te sientas en la cama, bajándote la camiseta hasta que no da más de sí. Para romper con la tensión del momento, tomas un sorbo de té, perfumado y con cierto aroma de pimienta, y casi te atragantas.

—¿Te gusta? —pregunta con impaciencia Xavier.

—¿Le echas chile al té? —interrogas cuando las llamas que te queman la lengua por fin remiten.

Xavier procede entonces a soltarte una entusiasta lista de las especias que utiliza para hacerlo él mismo, y te cuenta cómo aprendió a prepararlo adecuadamente mientras viajaba con su mochila por la India durante el último viaje que hizo.

Cuando por fin se queda sin recetas de té, se produce otro largo silencio. No es exactamente un silencio incómodo, sino más bien burbujeante. Al final, Xavier suelta:

—Perdona. No estoy lo que se dice acostumbrado a tener mujeres en mi cuarto.

Te ríes.

—¿Me tomas el pelo? Esta noche, cada vez que te he mirado, había alguna intentando ligar contigo. Probablemente te subas a una mujer guapísima distinta noche sí y noche también. ¡Me sorprende no haber visto muescas en las paredes!

Entrelaza las manos y baja la vista.

—Hum, no. Eres la primera.

—Espera, no me estarás diciendo que... Lo que quiero decir es que con la pinta que tienes debes de tener un montón de amigas.

Niega con la cabeza.

—Pero ¿cómo es posible...?

—No lo sé. Hijo único. Padres muy mayores. Son gente guay, pero muy estrictos. Pensionado cuáquero. Primer año de universidad en un seminario...

—¿Qué? ¿Estudiabas para sacerdote?

—No, no. Era sólo un lugar donde alojarme. Uno de mis profesores se enteró de que buscaba un sitio barato y tranquilo. Fue fantástico mientras me adaptaba a mi nueva vida, pero no era exactamente la clase de lugar al que pudiera llevar amigas. Y, cuando salí de allí, todo el mundo estaba ya emparejado y nunca supe cómo pillarle el truco a eso.

Cuando poco a poco tomas por fin conciencia de la verdadera dimensión de lo que te está diciendo, no puedes creer que estés a punto de hacer una pregunta tan íntima, pero luego se te ocurre que, a fin de cuentas, salvo por la camiseta prestada, estás casi desnuda.

—Xavier, ¿me estás diciendo que eres... virgen?

Esta vez no se sonroja. Se queda muy quieto. Y luego asiente.

—Hum, vaya. —Necesitas un minuto para procesarlo. El tipo parece un trozo de sexo con patas. Parece imposible que ninguna mujer se lo haya zampado todavía.

Él se apresura a añadir:

—Ya sé, debo de parecerte una especie de monstruo, pero ya has visto esta noche cómo actúan las mujeres a mi alrededor. Todas dan por hecho que tengo mucho camino recorrido. ¿Cómo podría subirme aquí a una de ellas y decirle luego: «Bueno, de hecho soy virgen y no tengo ni idea de por dónde empezar»? Se reirían en mi cara.

Logras volver a cerrar la boca mientras te preguntas qué hacer a partir de ahora. Xavier se te ha caído al suelo desde el tejado de una catedral, pero esta noche has salido buscando diversión y no con la intención de ejercer de Doctora Amor. Aun así, sientes, por así decirlo, la tentación de ocuparte de él. A fin de cuentas, tiene el cuerpo más suculento que has visto en mucho tiempo... ¿Acaso no sería un acto de generosidad ofrecerte a ayudarlo? Además, nunca se sabe: incluso puede que te diviertas.

Por otro lado, no es algo que debas tomarte a la ligera. Tu primera vez no fue nada del otro mundo, pero siempre la recordarás precisamente porque fue eso: la primera vez. ¿Estás dispuesta a asumir una responsabilidad como ésta?

 Si esto no va contigo y decides salir de aquí cuanto antes, ve a la página 236

 Si decides quedarte y enseñarle un par o tres de cosas, ve a la página 239

Has decidido que esto no va contigo

Lo miras a sus ojos ansiosos. Aunque es muy guapo y sin duda hay química en el aire, ha sido una noche muy larga y es demasiado tarde para ponerte a jugar ahora a la maestra.

Y, además, realmente es muy joven. De hecho, es casi de la misma edad que la dulce e inocente becaria que tienes bajo tu tutela en el trabajo. Pero un segundo: ¡serían perfectos el uno para el otro! Les gustan la misma clase de libros, los dos quieren viajar y, aunque no estás segura de si Lexi es virgen, tiene ese aire inocente y luminoso..., y está soltera. ¿Por qué no dejar que se tanteen el uno al otro y se diviertan descubriendo qué partes de sus cuerpos encajan? Sientes una fugaz punzada de envidia al pensar en todo el descubrimiento que les aguarda, pero te la sacudes de encima. El País de los Adultos tiene todavía mucha diversión que ofrecer.

—¿Sabes? —dices—. Puede que tenga una solución para tu... ejem... problema. Creo que conozco a la chica perfecta para ti.

—¿En serio? —pregunta con brillo en los ojos.

—En el trabajo hay una becaria, Lexi... Acaba de cumplir veinte años. Creo que os entenderíais de maravilla.

—¿De verdad?

—Estoy segura. Es guapísima, divertida e inteligente. Y le va mucho lo del yoga, la meditación y todas esas cosas. Creo que quizás estáis hechos el uno para el otro.

Xavier arranca una hoja de una libreta que tiene encima del escritorio, escribe en ella un número de teléfono y te la da.

—Genial, a lo mejor podría llamarme algún día —dice—. Gracias. No sabes cuánto te lo agradezco.

—Aun a riesgo de parecer tu hermana mayor, ¿te importa si te doy un consejo? Intenta no dejar que el tema te estrese demasiado. Tú simplemente invita a salir a una mujer. Bésala y a ver a dónde te lleva eso.

—Gracias una vez más. —Xavier se levanta y se acerca sin prisas hasta ti. Luego se inclina y te besa suavemente en la mejilla. Sus labios son suaves y calientes y su aliento te acaricia la piel. Se produce un largo instante de silencio tras el cual ladea la cabeza con timidez y posa sus labios sobre los tuyos. Es extremadamente delicado, tanto que casi no es un beso, sino un largo y lento roce de esa boca celestial. Te cuesta Dios y ayuda no responder. Si Lexi juega bien sus cartas, va a ser una chica con suerte.

Una de las velas chisporrotea, quebrando el momento. Tienes una vida a la que volver.

—¿Te parece que ya estará seco el vestido? —preguntas—. Es tarde. Creo que voy a marcharme ya.

—Sí, seguro. Podemos pasar por la lavandería al salir —dice, llevándote hacia la puerta—. Ha sido un placer conocerte. Y otra vez: perdona por la bebida y las molestias.

—No te preocupes. Todo pasa por algo. Y tengo la extraña sensación de que en este caso quizás el motivo sea Lexi.

Os sonreís mutuamente y vuelves a sentir esa pequeña punzada en el corazón. Deseas que encuentre lo que busca. Mientras tanto, es hora de que des por terminada la noche y te vayas a casa. ¿O quizá deberías pasar a comprarte algo en la cafetería de tu barrio de camino a casa?

 Si te vas directa a casa, ve a la página 258

 Si decides pasar por la cafetería de tu barrio que está abierta hasta tarde antes de ir a casa, ve a la página 283

Has decidido quedarte y enseñarle un par o tres de cosas

Decides arriesgarte.

—Xavier, ¿te gustaría que yo cambiara eso? —Tus palabras quedan suspendidas en el aire entre los dos, y añades—: Si hasta ahora no has tenido sexo, podría enseñarte al menos por dónde empezar.

Te mira con una mezcla de incredulidad, cautela y desatada esperanza.

—¿Lo harías?

—Sí. Pero las normas básicas son éstas: sin compromisos. Será una vez y nada más. Has sido un auténtico encanto conmigo, eres uno de los tipos más sexys que he visto en mi vida y lo único que quiero es regalarte una deliciosa y relajada primera vez. No es necesario que intentes ponerte romántico conmigo, ni que te preocupes de tu rendimiento ni de nada de eso, ¿estamos? Tú relájate, déjate llevar y pásalo bien.

Entonces se te ocurre una idea.

—Tienes condones, ¿no?

Ay. A juzgar por la consternación que asoma a su rostro, ésa no es una eventualidad que tenga resuelta. Y, a pesar de que te propones una y otra vez ser una mujer adulta y llevar siempre un condón de emergencia en el bolso, ésa no ha sido nunca una prioridad... hasta ahora.

Su expresión agónica resulta casi divertida, pero tú también te sientes frustrada. Todo parece indicar que vas a tener que reconsiderar tu oferta hasta que de pronto se le ilumina la cara.

—¡Espera! ¡Un segundo! ¡No te muevas! ¡Quédate donde estás! —Sale disparado de la habitación con una prisa que resulta casi cómica.

Vuelve al cabo de un minuto, jadeando orgullosamente y llevando... ¿Qué es eso? ¿Una tonelada de condones? Debe de haber cientos en la caja de cartón con la que acaba de aparecer. Desde luego, a eso le llamas tú ser optimista.

—Mi primo guarda el *stock* para llenar el dispensador del lavabo del bar —dice Xavier con una sonrisa de oreja a oreja—. Qué suerte que me haya acordado.

Te alivia que el problema haya quedado resuelto.

—¿Vamos a ello? Pero sólo esta vez, y sin compromiso.

Vuelve a sonreírte con la misma sonrisa que te desmonta y que te dedicó la primera vez que entraste en el bar.

—De acuerdo. Trato hecho. Pero ¿estás segura? Quiero decir que...

—Xavier —dices—, deja ya de hablar. —Te acercas a él y te sientas despacio sobre sus rodillas. Sus brazos te rodean y sientes el calor de su cuerpo y los latidos de su corazón. Hundes la cabeza en su hombro y colocas los dedos en el exquisito huequecillo que tiene en la base del cuello, que palpita al ritmo de su corazón. Te quedas así durante un instante antes de buscar su boca.

Sabe a especias y a té y tiene los labios increíblemente suaves. Al principio, los mueve con indecisión; luego, deseoso, murmurando cuando vuestras lenguas se tocan, metiéndose en la boca del otro. Xavier levanta la mano hasta cerrarla sobre tu mejilla, cambiando el ángulo de tu cabeza y ahondando en el beso al tiempo que gana en confianza. Cuando por fin paras para recobrar el aliento, ambos respiráis agitados y sonreís.

—Hasta aquí perfecto —dices—. Avancemos un poco más, ¿te parece?

A la suave luz de la lámpara de su escritorio, te emociona ver cómo le tiemblan ligeramente las manos. Son unas manos hermosas, las manos de un concertista de piano, de dedos fuertes y delicados. Le coges una, depositas un beso en la palma y te la pones sobre un pecho.

El resultado es instantáneo: los dos gemís de placer cuando tu pezón se inflama contra su palma desde debajo de la tela de la camiseta. Te toca y te acaricia con suavidad, primero, y después con más decisión en cuanto pegas tu pecho contra su mano. Luego sus dedos buscan y juegan con tu pezón, dándole pellizcos suaves y provocadores.

Gimoteas y su mano se detiene al instante.

—¿Demasiado fuerte?

—Dios, no. Fíate de mí. Ya te diré yo si algo es demasiado. Pero creo que ha llegado el momento de devolverte el favor.

Una parte de ti lleva deseando desnudarlo desde la primera vez que lo viste detrás de la barra, y te tomas tu tiempo, desabrochándole primero la camisa y levantándosela después por su perfecto estómago y el pecho, suave y lampiño. Levanta los brazos por encima de la cabeza mientras se la quitas y la dejas caer al suelo a tus pies; su torso es escultural. A la luz de las velas, resplandece, y su piel es suave como el cachemir sobre unos músculos que se contraen, definiéndose cuando tu mano se desliza sobre ellos. Te chupas el índice y, al pasarlo por sus pezones, se estremece. Cuando imitas el gesto con la boca, deja escapar un fuerte gemido.

Te debates entre tu deseo de alargar este estadio de languidez de tu seducción y el apremiante latido que te palpita entre las piernas. Definitivamente, lleváis todavía demasiada ropa, así que te levantas de su regazo, provocando con ello sus protestas, hasta que te quitas con gesto lánguido la camiseta.

—Creo que ha llegado la hora de pasar a la cama —dices.

—Espera —pide con voz ronca—. Quiero mirarte

durante un minuto. Con esa diminuta cosa de encaje…
y los tacones…, no tienes ni idea de lo sexy que estás.

Te quedas de pie delante de él, disfrutando del efecto que provocas. Separas las piernas y te contoneas un poco, levantando los brazos por encima de tu cabeza y arqueando levemente la espalda, provocando con ello que tus pechos suban y se balanceen.

—Soy toda tuya. Mira cuanto quieras.

En cuestión de segundos, se ha levantado de la silla, y lo ves manipular torpemente el botón de su vaquero. Oyes el sonido de la cremallera cuando la baja con prisas, y luego salta primero sobre un pie y después sobre el otro mientras se desnuda. Su cuerpo, ahora a la vista, es más impresionante de lo que podías esperar: unas caderas estrechas, el vientre terso, unas piernas que no se acaban nunca y un culo duro y respingón, cubierto ahora tan sólo por unos finos calzoncillos de algodón que nada pueden hacer por ocultar el tamaño de su erección.

—Creo que debemos desnudarnos del todo —le dices. Te quitas el tanga y te sientas con remilgo en el borde de la cama, con las rodillas juntas mientras te descalzas sacudiendo los pies. Luego, despacio y de forma deliberada, te reclinas sobre tus brazos, separas las piernas y levantas la pelvis hacia él. Jamás habías sido tan lasciva, aunque tampoco recuerdas cuándo fue la última vez que te mojaste tanto como ahora.

Bajas la mano, la deslizas entre tus piernas y te acaricias los labios inflamados, separándolos, mientras tus dedos producen suaves y húmedos chasquidos en tu carne húmeda y caliente.

A Xavier se le dilatan los ojos y murmura algo entre dientes mientras se quita los calzoncillos. Te toca a ti ahora clavar la mirada cuando su polla rebota libre, larga y gruesa, y con la cabeza brillando, bañada en humedad.

—Túmbate. —Tienes que aclararte la garganta para que te salgan las palabras, y das unas palmaditas en la cama a tu lado.

Él susurra:

—Esto es… fantástico. No puedo creer que esté pasando. Eres increíble. —La cama se hunde cuando se tumba a tu lado.

Miras su cuerpo y lo ves temblando de avidez y deseo contenido. Tenéis que actuar despacio, pero no estás segura de que ninguno de los dos pueda hacerlo llegados a este punto. Y no puedes resistirte a su polla, ahora parduzca e hinchada. La envuelves con una mano, cerrándola sobre la tersa piel sedosa que cubre la roca viva que anida debajo, y aprietas antes de recorrerla una vez desde la base hasta la punta… Y con un grito enorme se convulsiona, disparando semen caliente al aire en inmensos chorros.

Maldita sea, tendrías que haberlo imaginado. «¿Cuál es el protocolo que hay que seguir en una situación como ésta?», te preguntas, intentando no sentirte decepcionada. En cuanto Xavier ha recobrado el aliento y la voz, empieza a disculparse... de nuevo.

—Chisss —dices, y coges la camiseta que te ha prestado para secar el semen que se le ha acumulado en el vientre plano, todavía jadeante—. Era inevitable. Debería haber... hum... manejado las cosas con más cuidado.

—Si quieres irte, lo entenderé perfectamente —jadea.

 Si decides que ha llegado el momento de marcharte, ve a la página 246

 Si quieres quedarte e impartir la lección número 2, ve a la página 249

Has decidido marcharte

Te apoyas sobre un codo y lo miras. A decir verdad, no es ninguna sorpresa que todo haya ocurrido tan rápido. A fin de cuentas, el chico lleva años esperando este momento. Suspiras al ver cómo le aletean los párpados mientras su pecho sigue subiendo y bajando ostensiblemente.

Siempre puedes volver a casa. Visualizas la caja que está en el cajón junto a tu mesita de noche y el vibrador que hay dentro. Recuerdas lo que dicen tus amigas sobre el vibrador: nunca se corre antes que tú, nada de charlas incómodas, no monopoliza nunca el mando a distancia y ni siquiera tienes que preocuparte de si te llamará o no.

Te inclinas sobre Xavier y lo besas con suavidad en los labios, apartándole el flequillo de la cara.

—Eres delicioso, ¿lo sabías? —susurras, sonriéndole a los ojos.

Él te devuelve una sonrisa de oreja a oreja, claramente arrepentido.

—Siento haber sido tan rápido —se disculpa—. Ni siquiera hemos podido… Ya me entiendes…

—No te preocupes —dices—. Sólo ha sido la lección número uno. Cuando estés preparado para la número dos, pilla a una de esas docenas de chicas que se mueren por tus huesos y súbelas a este cuarto, ¿de acuerdo?

Asiente, todavía adormecido de satisfacción.

—Es tarde y tengo que irme... —anuncias, deslizándote hasta el borde de la cama y estirando la mano hacia la camisa que él llevaba puesta.

—¿Estás segura? —pregunta, incorporándose sobre los codos, un poco decepcionado—. Si me das cinco minutos, seguro que puedo, ya me entiendes..., volver a funcionar.

Te inclinas hacia delante y le apoyas con firmeza una mano en el hombro.

—¿Sabes? Es muy tarde y creo que necesitas tus horas de sueño. Yo también estoy muerta.

Xavier vuelve a tumbarse y te observa con ojos somnolientos mientras te pones su camisa de algodón por la cabeza, inspirando su olor a muchacho antes de volver a ponerte el tanga.

—No te importa, ¿verdad? —dices, colocándote bien la camisa—. Cogeré el vestido de camino a la calle. Si te parece, te dejo la camisa en la lavandería.

—¿Por qué no te la quedas y me la traes mañana por la noche? —sugiere, y esa sonrisa extraordinaria vuelve a iluminarle la cara—. Para nuestra segunda lección.

Te lo quedas mirando, pensativa.

—Puede que lo haga.

—Salgo a medianoche —dice—. Y luego a la una, a las dos, a las tres y a las cuatro.

Te ríes y le lanzas un beso fugaz mientras coges el bolso y los zapatos y sales por la puerta.

Tu siguiente parada es la lavandería, donde la secadora acaba de terminar su ciclo. Sacas tu vestido y el sujetador y te los pones. Están calientes y limpios. Olisqueas por última vez la camisa del barman y sonríes: quién iba a decirte que ibas a encontrar a un hombre virgen a estas alturas, y encima con aspecto de ángel. Es casi como si hubieras encontrado un unicornio. Doblas su camisa y la dejas encima de la secadora, reconociendo, no sin cierta melancolía, que no es probable que vuelvas. Ahora lo que necesitas es algo que te anime un poco. ¿Quizás un chocolate caliente de camino a casa? O puede que te baste con buscar en el cajón de la mesita de noche y echar mano de Mr. Rabbit...

 Si no estás todavía dispuesta a irte a casa, ve a la página 281

 Si decides pasar, de camino a casa, por la cafetería de tu barrio que está abierta hasta tarde, ve a la página 283

 Si decides irte a casa y hacer uso de Mr. Rabbit, ve a la página 295

Te quedas a la lección número dos

—No me voy a ninguna parte —dices. Menos aún con tu cuerpo clamando por su propio disfrute. Está claro que no has terminado con Xavier. De hecho, apenas has empezado con él.

Te acurrucas contra él mientras su respiración recupera poco a poco la normalidad, y lo besas en la mejilla y en su pelo suave, que huele un poco al gel de ducha con aroma de lima que tiene en el baño y también a algo más humano y caliente.

—Quiero compensarte —susurra—. ¿Qué tal un masaje en la espalda?

No es en absoluto una mala idea. Tienes el cuerpo contraído a causa de la tensión y te duele un poco la zona lumbar, sin duda por haberte pasado toda la noche subida a esos tacones de diez centímetros. Estás dispuesta a probar y te vuelves boca abajo. Notas que la cama se mueve cuando él se levanta, y, un minuto después, oyes cómo se frota aceite en las manos y un leve aroma de sándalo impregna el ambiente.

Lo siguiente que sientes son sus manos sobre tus hombros con el aceite ligeramente calentado, y suspiras complacida. Sus manos presionan con habilidad tus músculos tensos, recorriendo los nudos sin clavarse en ellos, acariciando y calentando la piel.

—Caramba —balbuceas contra la almohada—. Desde luego, sabes lo que haces.

—Hice un curso en un *ashram* de la India —dice.

Eso lo explica todo: no se limita a manosearte los músculos ni a pellizcarte los nudos, sino que más bien tienes la sensación de que traza las conexiones que unen el músculo con los grupos de nervios de la espalda, calmándolos y relajándolos profundamente. Caes en un trance en el que lo único que existe son sus dedos calientes y fuertes, que te acarician moviéndose en círculos por toda tu columna. Cuando estás a punto de quedarte dormida, su modo de tocarte cambia y se vuelve más ligero. Te acaricia la piel de la espalda con las yemas de los dedos y te estremeces ante el cambio de presión al tiempo que sientes cómo se te eriza la piel. Xavier traza un sendero de piel erizada hasta la base de tu columna para luego mover muy suavemente las manos en círculos sobre las nalgas, provocando y calmando a la vez. Sus manos bajan más y más, y a estas alturas contienes ya la respiración.

También te das cuenta de que no son sólo sus manos las que te masajean el trasero. Sentado sobre ti, notas la caliente y fuerte presión de su polla erecta y cada vez más empalmada contra ti, y el pulso que te palpita entre las piernas se vuelve apremiante una vez más.

—Xavier —murmuras—, creo que te has saltado un punto. —Él capta el mensaje enseguida, se retira de encima de ti y te ayuda a volverte boca arriba, algo totalmente nuevo.

Te desperezas y extiendes el pecho hacia arriba, y él pilla el mensaje, pasándote una mano por los pechos. Te retuerces, colocándote los brazos debajo de la cabeza para darle libre acceso a ti. Xavier baja la cabeza y jadeas cuando su boca se cierra sobre la punta de uno de tus pechos, abarcando piel, aureola y pezón, golpeteándolo con la lengua.

Dios, este chico tiene un don innato para esto. Jamás habrías adivinado que es virgen. Su pelo se desliza sobre tus pechos mientras chupa y lame alternando entre uno y otro, y empieza a mordisquearlos con mucha delicadeza a medida que se va lanzando. La sensación que provocan sus dientes en tus pezones duros como rocas te hace levantar las caderas de la cama. Santo cielo, habías oído decir que hay mujeres que se corren simplemente porque les acarician los pechos, y estás empezando a entender que es una posibilidad real.

Estás cada vez más excitada y le agarras una mano para deslizarla entre tus muslos. Cruzas una pierna sobre él para que sus dedos tengan pleno acceso a ti y guías su índice hasta tu clítoris. Segundos más tarde, sueltas un grito cuando él aprieta la hipersensible perla de carne y sus entusiastas dedos se deslizan un poco más abajo, explorando más.

—Estás muy mojada —murmura—. Tengo la sensación de haber dado con el nacimiento del Nilo.

A pesar de que estás prácticamente retorciéndote de placer, te ríes. Y entonces, cuando un dedo largo y frío te penetra despacio hasta el fondo, sueltas un gemido.

—¿Cómo te sientes? —susurra, metiéndote primero un dedo y luego dos en tu coño empapado—. Yo, fantásticamente.

—Delirante —mascullas, mientras sigues retorciéndote, ansiosa por correrte. Notas su pene empujando con fuerza contra tu cadera y tus buenas intenciones de sentarte encima de él para alargar el sexo todo lo posible se desvanecen como por arte de magia.

Vuelves a cogerle la polla y la encuentras satisfactoriamente dura y excitada.

—Te quiero dentro de mí —dices.

Sus ojos y sus dientes brillan al oírte, y entonces coge la caja que está junto a la cama y saca de ella un puñado de condones. A pesar de que los dos estáis excitados como fieras, os reís como un par de adolescentes.

—Creo que te basta con uno —dices.

Como es su primera vez, te encargas tú del condón, sacándolo del envoltorio, pellizcándolo por la punta y desenrollándolo con sumo cuidado sobre su tranca. Luego tiras de él hasta colocarlo encima de ti, separas aún más las piernas y levantas las rodillas, acomodándolo entre tus piernas.

Notas su polla empujándote ansiosa, y aunque estás tan deseosa como él de tenerlo dentro, quieres hacer las cosas bien.

Levantas la cabeza y lo besas al tiempo que deslizas las manos sobre su espalda hasta llegar con ellas a sus glúteos duros como piedras. Entonces alzas la entrepierna contra la suya mientras empujas suavemente su trasero hacia ti, y, para tu enorme alivio, Xavier desliza fácilmente su polla dentro de tu coño, con total naturalidad, en el ángulo perfecto y provocándote una abrumadora descarga de placer.

Ambos gemís profundamente al sentir cómo te estira la piel cálida, mojada y tierna del coño, y le das un diminuto apretón. Xavier vuelve a gemir.

Luego te sonríe.

—No sabría decirte lo fantástico que es esto. Ha merecido la pena la espera. ¿Estás bien?

—Más que bien —suspiras—. Por favor, ahora fóllame. Despacio y bien. Y fuerte.

Y eso es lo que hace, y cada embestida es una quemazón de placer cada vez más profundo. No pasa mucho rato hasta que sientes cómo te llega el orgasmo, y rezas para que Xavier aguante el tiempo suficiente hasta que por fin el placer te sacude el cuerpo entero, y el alivio que te embarga es tan intenso que te llena los ojos de lágrimas. Casi ni te das cuenta de que estás gritando de manera contenida mientras arqueas la espalda una y otra vez, agarrándote a sus hombros como a una balsa mientras el mundo gira, y entonces le toca a él, y se estremece atormentado, descargando en ti su orgasmo entre gritos triunfales.

Luego sólo se oyen vuestras respiraciones entrecortadas, tumbados juntos, los cuerpos laxos y pegados, tu corazón golpeando con furia contra tus costillas y su cabeza enterrada en tu cuello. Sientes los miembros sin fuerzas, y, aun así, consigues acariciar la nuca y los hombros de Xavier, consciente de la fina capa de sudor que le cubre el cuerpo entero.

Notas que su polla va encogiéndose poco a poco dentro de ti, así como el intenso postorgasmo, mientras lo tienes comprimido en tu coño todavía inflamado. Por fin, la saca, sin quitarse el condón, y los dos dejáis escapar un suspiro. Transcurre una eternidad hasta que sois capaces de recobrar algo parecido a vuestro estado normal de consciencia. Por fin, Xavier empieza a pesarte demasiado, y con suavidad lo empujas por los hombros.

Él capta el mensaje al instante y se retira de encima de ti, estrechándote con fuerza entre sus brazos y volviendo a acurrucaros el uno contra el otro por segunda vez. Su voz llega impregnada de un somnoliento orgullo:

—Vaya. Ha sido... Uf. —Y añade entonces con un tono repentino de ansiedad —: Te ha gustado, ¿verdad? Me ha parecido que sí, al menos por lo que he oído. Y ha sido increíble cuando te has corrido... Quiero decir que... Porque ¿te has corrido, verdad?

—No, tontorrón, estaba sufriendo un inesperado ataque epiléptico mezclado con hipo. ¡Pues claro que era un orgasmo!, ¡y me ha encantado! Eres increíble.

Os reís los dos entre dientes y, acto seguido, os quedáis adormilados unos minutos. La sensación de tener miel caliente recorriéndote las venas es irresistible, pero en tu cabeza una voz minúscula te apremia a levantarte e irte a casa. Si te quedas a pasar aquí la noche, las cosas se complicarán.

—Xavier —dices—, despierta. Odio aguarte la fiesta, pero tengo que irme a casa. —Él protesta, como atontado, pero te mantienes en tus trece—. Recuerda que hemos quedado en que esto es un polvo de una noche.

Te coge la mano y se la lleva a los labios.

—Pero es que quiero repetirlo. Una vez, y otra, y otra. Y luego más. Y, después, otras cien veces. Y luego me gustaría volver a empezar.

Te sientes conmovida y halagada a la vez. Y muy tentada. Parece un ángel caído, tumbado en la cama con la polla relajada sobre su muslo perfecto y los ojos somnolientos. «Contrólate», te regañas.

Xavier vuelve a besarte y, durante un instante, te ablandas antes de recordarte a ti misma que es un estudiante: con toda la angustia de la madurez todavía por llegarle y los montones y montones de chicas estudiantes, con sus asuntos, sus dramas y sus exámenes de conciencia. Por no hablar de sus cuerpos perfectos de chicas de diecinueve años. Xavier es el tipo de hombre que se enamora, que rompe corazones y a quien se lo rompen, y todavía tiene todo eso por vivir. Debe seguir adelante con su vida y vivirla, y tú tienes que seguir con la tuya.

Te levantas despacio y coges las bragas y los zapatos. Luego te inclinas sobre él y lo besas un buen rato por última vez.

—Adiós, Xavier. Vas a hacer muy feliz a alguna mujer afortunada. O puede que sean varias las afortunadas.

—Nunca te olvidaré —susurra muy serio—. Aunque viva hasta los noventa años y tenga sexo con millones de mujeres.

—El placer ha sido mío. De verdad. Ahora duérmete. Voy a pedir un taxi. Lo esperaré abajo, en el bar.

Ya no intenta oponerse a que te marches. Se vuelve sobre un costado con un suspiro de satisfacción y sus pestañas larguísimas aletean hasta cerrarse sobre sus pómulos perfectos. Sus últimas palabras, cuando está casi a punto de quedarse dormido, son:

—Si quieres volver a verme, ya sabes dónde encontrarme.

* * *

Por esta noche has tenido suficiente. Ahora lo único que te apetece es descansar en tu cama. Pero esta última aventura ha sido tan dulce e inesperada que te tienta la idea de pasar por casa de Melissa y contarle toda la historia.

 Si te vas directa a casa, ve a la página 258

 Si prefieres pasar por casa de Melissa para contarle la noche que has pasado, ve a la página 291

Has decidido dar la noche por terminada. Es hora de irte a casa

Es tarde. De hecho, es tan tarde que ya casi es temprano. Tu noche de juerga ha sido muy divertida y realmente has vivido una aventura de verdad, pero estás encantada de volver por fin a casa. Aunque estás exhausta, la adrenalina sigue aguijoneándote por todo el cuerpo. La idea de dormir te parece todavía muy lejana, pero no pasa nada. No has hecho planes para mañana y, además, en casa tienes el DVD de *El diario de Bridget Jones*, que quieres volver a ver desde hace siglos. Esa película nunca envejece.

Ya has perdido la costumbre de ponerte esos tacones tan altos. Te duelen los pies, y el tanga violeta, por muy fabuloso que sea, se te está clavando en el trasero. Va a ser una auténtica bendición poder dejar de meter tripa, ponerte tus bragas cómodas e instalarte en el sofá con una taza de té, un cuenco de palomitas y el mando de la tele.

Cuando entras en el vestíbulo de tu edificio de apartamentos, reina el silencio. Pulsas el botón del ascensor y levantas la vista hacia la hilera de números que figuran encima de la puerta. Según indica la lucecita, el ascensor se ha quedado parado en el sexto piso. El tuyo, precisamente.

Página 258

Vuelves a pulsar el botón un par de veces y niegas con la cabeza. ¿Por qué hará eso la gente? Así no se consigue que el ascensor llegue más deprisa. Cuando vuelves a levantar la vista, la luz sigue en el sexto. Menudo fastidio: ¿quién será el idiota que está reteniendo el ascensor a estas horas de la noche?

Miras a tu izquierda. Siempre te quedan las escaleras.

 Si decides subir por las escaleras, ve a la página 260

 Si, por el contrario, decides esperar al ascensor porque los pies te están matando, ve a la página 276

Has decidido subir por las escaleras

Cuando estás a medio camino, tienes que parar, doblada en dos y jadeando. ¿Quién demonios te manda subir por las escaleras, sobre todo con estos tacones? ¿A quién se le ocurre intentar ser una heroína a las cuatro de la mañana?

Cuando por fin llegas al sexto, abres de un empujón la puerta que da acceso al rellano. Te mueres de ganas de llegar a casa y quitarte los zapatos, de modo que te apresuras en la tenue luz que ilumina el lugar. Un segundo después, sueltas un grito al golpearte las espinillas con algo. Instintivamente, extiendes los brazos para parar el golpe mientras caes de bruces.

—¡Joder!

Intentas ver qué es lo que te ha hecho tropezar y descubres que es una de unas veinte cajas de cartón repartidas sin orden ni concierto por el pasillo. ¿Qué clase de imbécil ha dejado todas esas cajas desperdigadas de esa manera? Te palpitan las espinillas y sientes una punzada en las muñecas y en las palmas de las manos, con las que has amortiguado la caída sobre la tosca moqueta. ¡Podrías haberte partido el cuello!

—Santo Dios, ¿estás bien?

Un tipo alto con unos vaqueros rotos y desteñidos, camisa de cuadros y gafas aparece en la puerta del apartamento 610. No lo habías visto antes. Debe de estar mudándose; eso explicaría las cajas y el ascensor bloqueado. Se acerca corriendo hasta donde estás y cae de rodillas a tu lado.

—¿Te encuentras bien? ¿Te has roto algo? —Te coge del codo y te ayuda a levantarte.

En cuanto te incorporas del todo, te apartas el pelo de la cara y te agachas para frotarte las espinillas y evaluar los daños. Un enorme y rabioso cardenal empieza a aparecer en tu espinilla izquierda y la sangre gotea de un corte abierto en la derecha.

—Oh, no —dice—. ¡Estás sangrando! Es culpa mía. ¡Cuánto lo siento! Por favor, entra. Todavía no he abierto las cajas de las cosas del cuarto de baño, pero seguro que el botiquín está en la cocina. Tenemos que curarte las heridas.

Si entras en su apartamento para que te cure la herida, ve a la página 263

 Si lo único que quieres es entrar en casa cojeando, ve a la página 275

Entras en su apartamento para que te cure la herida

Tu nuevo vecino te coge del brazo y te ayuda a entrar cojeando en su apartamento. La distribución es casi idéntica a la del tuyo, pero la decoración es totalmente distinta. Claramente es territorio masculino. Por lo que ves, sólo hay unas cuantas cajas desembaladas que se amontonan por todo el espacio. Pero la televisión con una pantalla enorme, el sistema de audio y los sofás están instalados como si hubieran estado siempre allí.

—¿Cuándo te has mudado? —preguntas.

—Hace unos días —dice mientras te ayuda a pasar a la cocina—. Pero las cajas que están en el pasillo llegaron esta tarde. No creía que alguien pudiera tropezarse con ellas, y por eso pensé que podía dejarlas allí esta noche. Pero debería haberlas apilado contra la pared, la verdad. ¡Lo siento de veras!

No puedes evitar sonreír un poco al ver lo arrepentido que está.

—Tendrás noticias de mis abogados —dices con tono muy severo.

Parece sobresaltado, pero en cuanto entiende que bromeas, sonríe y te quedas perpleja al ver lo guapo que es. En un primer momento, no te habías fijado. Y es que no es el típico guapo convencional, sino que tiene una sonrisa ligeramente sesgada y las pestañas más largas que has visto en un hombre; tanto que acarician los cristales de las gafas de montura negra cada vez que parpadea.

—¿Te parece que podrías subirte aquí? –pregunta, dando una par de suaves palmadas en la encimera de la cocina—. Así podré ver mejor ese corte. Sigue sangrando, y probablemente deberíamos limpiarlo.

Te sientas sobre la encimera mientras el busca en una caja que está encima de la mesa de la cocina. Y luego se te acerca con un pequeño botiquín de primeros auxilios.

—¿Eres médico? —preguntas, sintiendo un ligero mareo al ver que la sangre te gotea pierna abajo.

—No, soy escritor, que es casi lo mismo. Lo que quiero decir es que he escrito sobre médicos.

—Ah, bueno. En ese caso…

—Bien. Veamos cuál es la clase de demanda a la que me enfrento aquí —dice, limpiándote suavemente la piel con una bola de algodón—: homicidio o simplemente un ataque con una caja de cartón letal. Por cierto, creo que deberías saber que también he escrito sobre abogados, así que vas a tener que batallar mucho si esto llega algún día a los tribunales.

Ajá. Guapo y gracioso. Son los más peligrosos.

—Estoy bien, ya casi he dejado de sangrar —dices, cogiéndole el algodón y presionándote la herida con él—. Es tarde. Será mejor que me vaya a casa.

—¡Ni hablar! —dice—. Has perdido mucha sangre y yo soy el responsable de ello. Al menos deja que te prepare una taza de té o una copa antes de irte.

Lo miras, vacilante.

—No puedes irte todavía. En serio —prosigue—. Ni siquiera he usado la mitad de las cosas que tengo aquí —añade señalando el resto del contenido del botiquín que tiene abierto sobre la encimera—. ¿De qué me sirve tener un impresionante botiquín si nunca puedo utilizarlo? Mira, todavía tengo que usar el mercurocromo, el antiséptico y las tiritas antes de dejar que te vayas. ¡Son órdenes del médico escritor!

—De acuerdo —concedes, y él coge otra bola de algodón. Luego te sujeta el gemelo con una mano mientras con la otra te limpia con cuidado la espinilla. Sientes un hormigueo en la pierna cuando te toca. Te parece increíble lo delicado que es este hombre que anda descalzo. Lo miras con más detenimiento. Debe de medir al menos metro noventa, va sin afeitar y tiene un pelo espeso, negro y despeinado al que no le iría mal un buen corte.

—¿Qué hay en esas cajas? —preguntas—. Cualquiera diría que me he tropezado con un muro de ladrillo.

—Son libros —responde, tímidamente—. Tengo un pequeño problema: no puedo pasar delante de un libro sin comprarlo. Es un riesgo laboral. Ésa es una de las razones por las que he tenido que mudarme: en mi anterior apartamento no tenía espacio suficiente para mis libros. Además, me había quedado sin vecinos con los que tropezarme.

Parece que la herida ha dejado de sangrar y te suelta la pierna antes de incorporarse. Sentada como estás en la encimera, ahora tiene la cara a la misma altura que la tuya. Está lo bastante cerca como para que te arda la piel y, a menos que estés equivocada, también él se ha sonrojado un poco antes de concentrarse en un frasco de desinfectante y de coger otra bola de algodón.

—Esto puede que escueza un poco —dice muy serio—. Apriétame el hombro si lo necesitas.

Menuda tontería, piensas. ¿Tanto puede escocer como para que...?

—¡Ay! ¡Escuece! —gritas, agarrándolo del hombro y sintiendo cómo se le contraen los músculos debajo de tu mano. El dolor remite tan rápido como ha aparecido y le sueltas el hombro a regañadientes, sintiéndote idiota por haberte puesto así. El chico coge una gasa, rasga el envoltorio de papel y cubre con ella el tajo que tienes en la espinilla, extendiéndola de arriba abajo delicadamente. Y, durante un breve instante, te preguntas si va a besarte la pierna —la simple idea te provoca un escalofrío en la columna—, pero no lo hace.

—En mi inexperta opinión, la otra pierna parece estar bien. El cardenal debería remitir en un par de días.

No tengo árnica, pero me han dicho que es estupenda para los cardenales. Una vez más, no sabes cuánto lo siento. ¿Qué va a decir tu novio cuando aparezcas cojeando en casa llena de cortes y de cardenales?

—No tengo novio —aclaras—. ¿Y tú?

—Yo tampoco tengo novio —dice mientras una sonrisa sesgada asoma a su rostro.

Te ríes y bajas de la encimera.

—¿Puedo al menos prescribirte algo para el dolor antes de que te marches? —Abre la nevera y mira dentro—. Acabo de terminar mi turno en el hospital y creo que necesito una copa.

Si necesitabas alguna confirmación de su soltería, ahí la tienes, en las repisas de la nevera. Lo único que ves en ellas son un par de *packs* de seis cervezas, un cartón de leche, un bote de mayonesa y restos de comida china para llevar.

Saca una cerveza, la abre y te la ofrece.

 Si te tomas una cerveza con él, ve a la página 268

 Si decides dar por terminada la noche, ve a la página 273

Has decidido tomarte una cerveza con el vecino

Aceptas la cerveza y le das las gracias. La botella está muy fresca y no puedes resistirte a la tentación de pegártela a las mejillas, que te siguen ardiendo. Saca otra cerveza de la nevera para él y entrechoca el cuello de su botella con el de la tuya.

—Por los nuevos vecinos —brinda.

—Y por las demandas lucrativas.

Os miráis y entre ambos chisporrotea una ligera corriente.

Le sigues hasta el salón. Hay montones de libros apoyados contra todas las paredes. Te asomas a mirar el dormitorio principal y reparas en la cama de matrimonio deshecha, salpicada de periódicos. Te asalta una imagen de vosotros dos sentados en la cama, tomando café y leyendo juntos el periódico de la mañana. Te sacudes de encima la ridícula fantasía y tomas un trago de cerveza helada.

—Ponte cómoda —dice.

Te sientas en el sofá, preguntándote qué silla elegirá él. Se instala en el sillón en vez de hacerlo a tu lado y no puedes evitar sentirte un poco decepcionada. Estabas disfrutando teniéndolo de pie tan cerca de ti en la cocina. Hay un manuscrito encima de la mesita auxiliar. Lo coges y lees el título en voz alta: *Una chica entra en un bar.*

Si empiezas a leer el manuscrito, ve a la página 1

 Si resistes la tentación de leer sus intimidades, ve a la página 270

Resistes la tentación de leer sus intimidades

Se sonroja y te quita el manuscrito de las manos, dejándolo caer al suelo.

—No es más que una cosa en la que estoy trabajando. Aún está muy verde.

—¿Tiene final feliz? —preguntas.

—Todavía no lo sé, aunque, a juzgar por cómo están yendo las cosas, puede que tenga más de un final feliz.

Seguís sentados, sumidos en un cómodo silencio durante unos segundos.

—¿Lo has pasado bien por ahí esta noche? —pregunta.

Asientes y tomas un trago de cerveza.

—Mucho. Supuestamente debía encontrarme con una amiga, pero me ha dejado plantada a última hora. Aun así, al final, todo ha salido bien.

—Debe de haber dado mucho de sí la noche —dice, mirando la hora en su reloj.

—Ni que lo digas. Pero no soy la única ave nocturna. ¿Qué diantre haces despierto todavía? —preguntas, observando alrededor y viendo que el televisor está apagado y que no suena ninguna música.

—Trabajar. Me gusta escribir de noche. Se está muy tranquilo y, cuando es tarde, el mundo se percibe de otro modo. Es como si pudiera pasar cualquier cosa.

Asientes. Ni se imagina hasta qué punto es cierto. Tomas un último sorbo de tu cerveza.

—Hablando de la hora, será mejor que me vaya —dices.

Se levanta a la par que tú, con cara de estar un poco decepcionado.

—Ah, bueno. Aunque quizás algún día podrías enseñarme el barrio, o podríamos comer algo juntos. Es lo mejor que puedes hacer después de haber vapuleado mis libros de ese modo.

Te ríes.

—Claro. Suena genial.

—¿Te acompaño a la puerta? Uno de los personajes de mi primera novela era un *ninja*, de modo que tengo aptitudes para dejarte en casa sana y salva. Bueno, más o menos. Nunca se publicó.

Vuelves a reírte.

—Ya. Creo que podré arreglármelas para recorrer los veinte metros que me separan de mi puerta. Pero gracias por la cerveza, la atención médica y la cicatriz. Siempre he querido tener una herida de guerra.

—Creo que probablemente me pondré a mover cajas para evitar más demandas, y también por si se da el caso de que necesitases encontrar el camino de regreso aquí en cualquier momento. Así me aseguro de que no se produzca ningún desafortunado incidente.

Todavía te ríes cuando él sale al rellano tras de ti. Sorteas con cuidado las cajas de camino a tu apartamento. Notas su mirada en tu espalda e intentas mostrarte lo más compuesta y digna posible.

Al llegar a tu puerta, situada al fondo del pasillo, te vuelves y ves que sigue mirándote desde la suya. Tiene las manos en los bolsillos y esa sexy sonrisa sesgada en la cara.

—Buenas noches —le dices en voz baja antes de entrar.

—Dulces sueños —te responde, despidiéndose de ti con un pequeño gesto con la mano.

Por fin en casa.

 Ve a la página 280

Has decidido dar por terminada la noche

—¿Te importa si lo dejamos para otro momento? Ha sido una noche muy larga.

—Por supuesto. ¿Qué te parece mañana por la noche? Tendré que cambiarte la gasa y echar un vistazo a ese corte —dice, señalándote la espinilla—. Quizá podríamos cenar juntos... Es lo menos que puedo hacer para compensarte por haberte causado un daño corporal tan grave. Además, necesito que alguien me enseñe un poco mi nuevo barrio.

Asientes. Te sientes como un pato en el agua, aparentemente tranquila, pero con cada uno de los órganos de tu cuerpo agitándose por dentro de forma enloquecida. Desde luego, en ningún momento te habrías imaginado la química que hay entre los dos. Te alisas el vestido mientras vas hacia la puerta, echando mano de toda la compostura de la que eres capaz después de la noche que has pasado.

—¿Qué tal a las siete? —pregunta.

—Bien —respondes, mientras sorteas con cuidado las cajas y recorres el pasillo hacia tu apartamento. Notas su mirada en tu espalda al caminar. Cuando abres la puerta, te vuelves a mirarlo y lo ves apoyado contra el quicio de su puerta, con las manos en los bolsillos del vaquero y esa sesgada sonrisa perfectamente dibujada.

Cuando entras en casa, él levanta una mano y te saluda con un pequeño gesto.

 Para volver por fin a casa, ve a la página 280

Lo único que quieres es entrar en casa cojeando

—Gracias, eres muy amable, pero no tiene importancia. No es más que un pequeño corte. No te preocupes. —Te sientes avergonzada por haber tropezado delante de él.

—Bien —dice—. Me alegro.

Te diriges a tu apartamento, situado al fondo del pasillo, intentando parecer elegante. Cuando por fin encuentras las llaves y abres la puerta, te vuelves fugazmente de espaldas y lo ves: está ocupado retirando las cajas del centro del pasillo y amontonándolas contra las paredes. Te mira y te saluda con la mano, esbozando una sonrisa sesgada y sexy. Te preguntas si por casualidad no estará soltero.

 Para volver por fin a casa, ve a la página 280

Has decidido esperar el ascensor.
Los pies te están matando

Mientras esperas el ascensor, levantas y flexionas el pie. Tienes los empeines machacados y no ves la hora de quitarte estos tacones. Por fin, la pequeña luz roja de la fila de números que corresponden a las distintas plantas se mueve y el ascensor baja a recogerte. Es hora de dar la noche por terminada.

El ascensor se abre con un tintineo y te preparas para lanzar una mirada asesina a quienquiera que lo estuviera reteniendo, pero no ves a nadie.

Cuando sales del ascensor en la sexta planta, te encuentras con un montón de cajas de cartón desperdigadas delante de la puerta del apartamento 610. Alguien debe de haberse mudado. Esas cajas no estaban allí cuando saliste hace unas horas. Estiras el cuello para ver si la puerta está abierta, pero son tantas las cajas apiladas delante del apartamento que no llegas a estar segura.

 Si decides asomarte a ver quién es tu nuevo vecino, ve a la página 277

 Si lo que te pide el cuerpo es ponerte tus bragas cómodas y ver una peli, ve a la página 280

Has decidido asomarte a ver quién es tu nuevo vecino

Te acercas sigilosamente por el pasillo hacia el apartamento 610, sorteando las cajas desperdigadas por el suelo. Cuando te acercas, ves que la puerta del apartamento está abierta y que dentro las luces están encendidas. Son casi las cuatro de la madrugada. ¿Quién diantre puede estar todavía despierto a estas horas? De pronto, oyes a un hombre aclarándose la garganta, seguido de un ruido de pasos. Quienquiera que haya dentro se dirige hacia el pasillo. Debe de ir a buscar una de las cajas. ¿Qué va a pensar si te encuentra merodeando delante de la puerta de su apartamento en mitad de la noche?

Echas a andar todo lo rápido que puedes hacia tu puerta, con la esperanza de que, cuando él por fin salga, parezca que estás pasando como si nada por delante de su puerta, como viniendo desde el ascensor, pero sólo alcanzas a dar un par de pasos antes de sentir un dolor intenso en las espinillas cuando te golpeas contra algo y caes de bruces al suelo en cámara lenta.

—¡Joooooder! —gritas, a la vez que estiras de forma instintiva los brazos para intentar parar el golpe y te estampas contra el suelo—. ¡Ay, ay, ay! —gritas, despatarrada en el suelo sin el menor *glamour* y con el culo al aire.

—¡Oh, santo cielo! —oyes decir a una voz masculina a tu espalda.

Avergonzada, te levantas tan rápido y tan elegantemente como puedes, dada la situación. Un tipo alto y descalzo, con unos vaqueros desteñidos, una camisa de cuadros y gafas, corre hacia ti.

—¿Te encuentras bien? —pregunta—. ¡Creo que estás sangrando!

Te agachas y ves que un enorme y rabioso cardenal ha empezado a formarse en tu espinilla izquierda y que de la otra brota un hilillo de sangre.

—Ay, ay, ay —vuelves a quejarte, mirándote las palmas magulladas.

—No debería haber dejado así las cajas. Lo siento mucho. ¿Necesitas que te lleve al hospital?

—¡Ay!

—Por lo menos, entra para que podamos parar la hemorragia. ¿Crees que puedes caminar? —pregunta.

Lo miras y parpadeas, soltando una lágrima al hacerlo.

—Espera. Deja que lo adivine. La respuesta es: «¡Ay!» —dice.

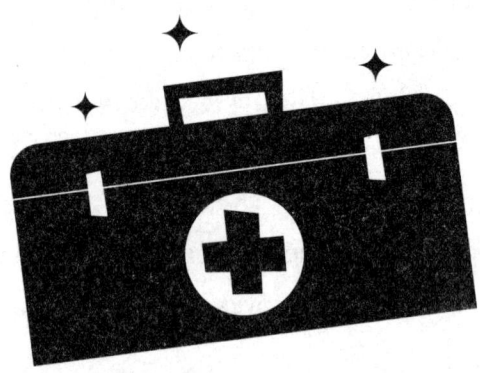

Si entras a su apartamento para parar la hemorragia,
ve a la página 263

 Si lo único que quieres es irte cojeando a casa,
ve a la página 275

Tus bragas cómodas y una película te están esperando

Ay, qué felicidad. Por fin en casa. Lo primero que haces es quitarte los zapatos y dejarlos en el suelo al lado de la puerta de entrada. Luego te quitas el vestido por la cabeza y lo dejas, junto con el bolso, encima del tocador al entrar en tu habitación.

Metes el sujetador y el tanga en el cubo de la ropa sucia que está en el rincón de la habitación. Sin duda, volverás a usar el tanga. De hecho, a partir de ahora quizá debas rebautizarlo como tus bragas de la suerte.

Calculas mal y el pequeño amasijo de encaje violeta aterriza delicadamente junto al cubo. Qué demonios, ya lo recogerás mañana.

Te das una larga ducha caliente, coges unas bragas de diario y una camiseta extragrande. Estás todavía demasiado alterada después de la noche que acabas de vivir para poder dormir y necesitas relajarte, así que metes una bolsa de palomitas en el microondas (las que llevan mantequilla, te lo has ganado) y luego te desplomas en el sofá y pones la película. Sonríes al ver los títulos de los créditos de *El diario de Bridget Jones*. La vida es bella. De hecho, no podría serlo más.

Todavía no te apetece irte a casa

Es tarde, pero estás demasiado alterada para irte directa a casa. Todavía sientes los últimos resquicios de adrenalina bombeándote en las venas. Menuda nochecita. Y pensar que estuviste a punto de volver a casa cuando Melissa te dejó plantada al principio de la noche. Casi no puedes creer que hayan transcurrido sólo unas horas desde entonces.

A pesar de que llevas toda la noche actuando de un modo completamente nuevo para ti, has disfrutado de cada segundo. ¿Habrá sido el tanga de encaje violeta o el hecho de haber salido sin rumbo fijo y sin tener que rendir cuentas a nadie salvo a ti misma lo que te ha vuelto tan lanzada? Sea lo que sea, ha sido la noche de tu vida.

Pero ¿y ahora qué? Tal vez Melissa esté todavía despierta.

Te mueres de ganas de contarle todo lo que has hecho. ¿Qué tal si pasas por su casa? No lo tienes claro... Probablemente lleve ya unas cuantas horas acostada. Pero, de camino a casa, siempre puedes parar en la cafetería del barrio que está abierta hasta tarde.

*Si pasas por la cafetería, de camino a casa,
ve a la página 283*

 *Si decides ir a casa de Melissa, de camino a casa,
ve a la página 291*

De camino a casa, has decidido pasar por la cafetería de tu barrio que abre hasta tarde

El taxi te deja delante de la cafetería. Es tan tarde que ya es casi temprano. Las luces del establecimiento están encendidas, aunque, aparte de un camarero con cara de aburrido que manipula un *smartphone* al otro lado de la barra, está desierto. Empujas la puerta, pero no se abre. «Qué raro», piensas. Supuestamente abren hasta muy, muy tarde, y en realidad es sólo muy tarde. Vuelves a empujar, en vano. Maldices entre dientes e intentas captar la atención del camarero, pero él se marca el típico numerito de finjo-que-estoy-ocupado-y-así-no-tengo-que-atenderte. Quizá la cafetería esté cerrada. Pero, entonces, ¿por qué sigue él dentro? Vuelves a empujar la puerta, esta vez apoyando en ella todo tu peso, pero sigue sin ceder.

Alguien se aclara la garganta a tu espalda y das un respingo. Cuando te vuelves a mirar, te encuentras a un hombre detrás tuyo. Debe de tener tu misma edad y es alto, con el pelo oscuro y gafas de montura negra. No es el clásico guapo, pero tiene algo. Te fijas en que cuando sonríe se le tuerce levemente la boca.

—Deja que te ayude —dice mientras coge de la manilla de la puerta y tira de ella hacia ti.

—¡Ajá! Hay que tirar, no empujar. Hum, ha sido una noche muy larga —mascullas, y te sonrojas avergonzada.

Claro, no podías saberlo. Creo que han cambiado la puerta. Estuve aquí hace dos días y desde luego había que empujar para abrirla. Tú primero —dice, sujetándote la puerta mientras los acordes de Erykah Badu llegan desde el aparato de música de la cafetería llenando el ambiente.

En la barra, el desconocido te invita con un gesto a que pidas primero.

—Un chocolate caliente, por favor —le dices al camarero, que deja a un lado el teléfono y te atiende con un más que visible fastidio.

—¿Con dulce de malvavisco? —pregunta, aburrido.

De pronto, pedir un chocolate con malvavisco te resulta un poco infantil, y estás segura de haber visto de reojo que el hombre alto sonríe con disimulo. Primero la puerta y ahora esto. Debe de pensar que tienes un cociente de inteligencia de una niña de cinco años. En cualquier caso, decides que, después de la noche que has pasado, si quieres tomarte un chocolate caliente con malvavisco, eso es lo que vas a tomarte.

—Sí, gracias —respondes tan segura de ti misma como puedes. Pagas, te sientas en una silla y hojeas un montón de revistas que hay en una mesita auxiliar adyacente. Seleccionas una al azar y finges leer mientras te dedicas a estudiar en secreto al chico alto por encima de la revista, espiándolo mientras él pide un *cappuccino*.

Tiene un buen cuerpo y es delgado. Lleva unos vaqueros viejos, camisa de cuadros y zapatillas de deporte a las que claramente les ha dado un buen uso. No le iría mal un buen corte de pelo ni un buen afeitado. De pronto, se vuelve y te sorprende mirándolo. Rápidamente te escondes detrás de la revista, avergonzada por segunda vez.

—¿Interesante? —pregunta, y levantas la mirada fingiendo sorpresa, como si estuvieras totalmente concentrada. Ahora te sonríe de oreja a oreja.

—No está mal —respondes, ensayando tu mejor expresión distante.

—¿Así que te dedicas al sector agrícola? —pregunta.

—¿Qué?

Haciendo un gesto con la cabeza, señala la revista, y entonces te das cuenta de que lo que sostienes es un ejemplar del *Agricultural Weekly*. Y, para empeorar las cosas, está del revés. A toda prisa, la vuelves a dejar en la mesita auxiliar.

—Todo conocimiento sobre las ovejas es siempre poco —replicas.

—Supongo que sí. —Se ríe entre dientes—. Yo las cuento a menudo.

—Exacto —dices—. Y todo lo que tiene que ver con el mundo de la lana es impresionante. ¡Por no hablar de la esquila!

—¡Un *cappuccino* grande! ¡Un chocolate caliente con dulce de malvavisco! —grita el camarero como si la tienda estuviera abarrotada. En la barra, hay un vaso para llevar con la palabra «*Cappuccino*» escrita en él, junto con otro con las palabras «Chocolate caliente» garabateadas encima.

Coges tu bebida, regresas a tu sitio y observas al Hombre del *Cappuccino* que ahora sopla por el agujero de la tapa de su vaso y toma un sorbo. Luego se queda mirando el vaso, visiblemente confundido, levanta la tapa y echa un vistazo dentro. Se le empañan los cristales de las gafas y tiene que dejar el vaso en la barra y quitárselas para limpiarlas con el faldón de la camisa. Tiene las pestañas más largas que has visto en tu vida.

Se acerca y pone su vaso delante de ti, encima de la mesita auxiliar.

—Creo que me han dado el tuyo por error —dice.

El vaso lleva escrito claramente la palabra «*Cappuccino*» y le dedicas una mirada interrogante.

—Está tan delicioso que he estado a punto de no decirte nada —añade, señalando el dulce de malvavisco que se deshace despacio encima del chocolate caliente—. Pero he supuesto que antes o después te darías cuenta.

—Entonces, según mis impresionantes poderes de deducción, esto debe de ser tuyo —dices, y le das tu vaso todavía intacto.

—Gracias. Naturalmente, entenderás que con lo lleno que está este sitio esta noche no es de extrañar que hayan confundido nuestros pedidos —comenta, agitando un brazo para mostrar la cafetería desierta. El camarero ha vuelto a ignoraros y ahora lee algo fascinante en su teléfono.

Tomas un sorbo de tu chocolate caliente y él mira dentro de su vaso, un poco alicaído.

—Ahora me has dado envidia.

—Yo no podría dormir si tomara café a estas horas de la noche.

—Ése era exactamente el efecto que esperaba conseguir. Estoy ocupado sacando las cosas de las cajas. Se me ha ocurrido que un café me ayudaría a mantenerme despierto para poder vaciar un par más.

La música se interrumpe de manera brusca en mitad de la canción y de pronto se encienden unos fluorescentes. Te proteges los ojos con la mano a modo de visera y parpadeas, para que se adapten a la luz. No hay nadie que tenga buen aspecto de madrugada bajo unas luces de neón tan potentes.

—Supongo que esto significa que están cerrando —dice.

—Son famosos por su café, no por su sutileza —añades.

Tu acompañante empuja la puerta, y la mantiene abierta con una mano para que pases, y en la otra sostiene su *cappuccino*.

Fuera, en la calle, os miráis de hito en hito. Tienes la clara impresión de que a ninguno de los dos os apetece separaros aún. Sin embargo, te sientes un poco estúpida: no os podéis quedar ahí.

—Bueno, me figuro que se está haciendo tarde, o quizá temprano. Yo voy hacia allí —dices, señalando hacia tu edificio, que está en la misma calle, a unos centenares de metros de la cafetería.

—Oye, yo también voy en esa dirección. ¿Te importa si vamos juntos? —pregunta.

—No serás un asesino en serie o un especialista en derecho tributario, ¿verdad?

—No, sólo soy escritor. Quise estudiar en la universidad un curso sobre cómo asesinar con un hacha, pero, claro, no encontré plaza.

Te ríes, y, cuando echáis a andar, te das cuenta de que el cielo empieza a clarear. Has olvidado cuándo fue la última vez que trasnochaste.

—Pues aquí vivo yo —anuncias, deteniéndote delante del portal de tu edificio.

—¿En serio? —pregunta.

—Sí, pero no te preocupes. Sé cómo funciona esta puerta. Ésta se abre empujando.

—¡Pero es que yo también vivo aquí!

Arrugas la nariz.

—¿En serio?

—En serio, te lo juro. Acabo de mudarme hace un par de días. Vivo en el apartamento seiscientos diez.

—Saca sus llaves del bolsillo para enseñarte el llavero. Es uno de esos llaveros con una etiqueta (dentro de una funda de pástico transparente con un marco azul) en la que están garabateados el número 610 y el nombre de tu edificio.

—¡Estás de coña! Yo vivo en el seiscientos uno.

Para probártelo, abre la puerta de seguridad con la llave, y luego, con una sonrisa de oreja a oreja, te sujeta la puerta abierta para que entres.

—Si fuera un malpensado, diría que me estás acosando —dice. Mientras subís en el ascensor a vuestra planta, añade—: Ya que somos vecinos, se me ha ocurrido que quizá podríamos salir algún día a tomar algo, y, de paso, me enseñas el barrio. Después de probar tu chocolate caliente, está claro que sabes lo que haces.

—Por qué no.

Salís del ascensor y os quedáis plantados delante en el rellano. Sigue un instante de deliciosa tensión.

—Bueno, yo voy hacia allí —dices, señalando con la cabeza hacia tu puerta.

—Y yo hacia allí —comenta él, señalando en la dirección opuesta. Ves montones de cajas desperdigadas sobre la moqueta delante de su apartamento—. Casi todas son de libros —aclara—. Han llegado esta tarde.

—Bueno, bienvenido al barrio —dices—. Espero que te guste.

—Ya me gusta —responde, esbozando su sexy sonrisa sesgada.

—Buenas noches —te despides con la mano mientras te diriges hacia tu puerta y entras en tu apartamento con el corazón algo acelerado.

 Ve a la página 280

Has decidido pasar por casa de Melissa para contarle tus aventuras

Llamas al interfono. Desde la calle, ves que las luces del dormitorio y del salón de Melissa están aún encendidas, con lo cual deduces que debe de estar en casa. Sin embargo, no contesta cuando la llamas al móvil. El teléfono suena y suena hasta que salta el buzón de voz. ¿Qué estará haciendo? Te mueres de ganas de contarle la noche loca que acabas de tener.

Vuelves a marcar, no te importa despertarla. Una vez más, salta el buzón de voz, así que cuelgas y pulsas el interfono de nuevo. No piensas dejar de insistir hasta que conteste.

—Hola —oyes por fin su voz en el altavoz del interfono, levemente amortiguada.

—¡Por fin! Déjame entrar, no vas a creer todo lo que me ha pasado esta noche.

No hay respuesta, pero la puerta de seguridad se abre con un zumbido y le das un empujón para entrar en el vestíbulo y coger el ascensor hasta su planta. Una vez allí, llamas discretamente a la puerta con los nudillos. La puerta se abre, aunque apenas unos centímetros, y logras verle la cara.

—Hola —saluda, jadeando y con las mejillas encendidas.

—¿Te he despertado?

Niega con la cabeza.

—Tienes que dejarme entrar. ¡Tengo muchas cosas que contarte!

—No puedo —susurra, y cuando retira la mano de la puerta para pasarse el pelo por detrás de la oreja, reparas en un lazo negro de satén que lleva atado a la muñeca. Sonríe de oreja a oreja—: ¡Tú tampoco te vas a creer lo que me ha pasado a mí!

—¿Qué? Espera, ¿tienes a alguien contigo ahí dentro?

Asiente y vuelve a sonrojarse.

—¡Dios mío! —chillas—. ¡Creía que te habías quedado trabajando hasta tarde!

—Y así ha sido —susurra—. Pero luego mi jefe ha vuelto a la oficina después de su reunión y nos hemos quedado charlando cuando ya no quedaba nadie, y después ha abierto una botella de vino, y nos hemos tomado un par de copas y... bueno... una cosa ha llevado a la otra...

—Espera un minuto —dices—. ¿Te refieres al cabrón controlador de tu jefe?

—¡Chisss! —se ríe—. Sí. Pero no está tan mal. Resulta que tenemos mucho en común. Y, aunque nunca te lo he dicho, siempre me ha parecido que estaba bueno. A fin de cuentas, ¿no se supone que todos los jefes son un poco controladores y enérgicos? Pero, dejando eso al margen, este hombre tiene algo... Resulta que es una fiera —dice, cogiéndote la mano, y la suave seda que lleva atada a la muñeca cae sobre tu brazo.

—¡Mira que eres mala! —dices, sonriendo al verla tan entusiasmada.

—Siento mucho haberte dado plantón... ¡En serio! ¡Pero ha sido una de las noches más locas de mi vida!

—No lo sientas —añades—. ¡También para mí ha sido una noche loquísima!

—Oye, me tengo que ir —dice, volviéndose a mirar dentro del apartamento.

—¿Me llamas por la mañana?

—¡Ya es por la mañana!

—Más tarde —te ríes, apretándole la mano. Te inclinas para darle un beso fugaz en la mejilla y huele a una mezcla de cedro y cuero. El olor te resulta ligeramente familiar, aunque no sabrías ubicarlo con exactitud.

Melissa cierra la puerta de su apartamento y llamas al ascensor. Por lo menos, esta noche no has sido tú la única niña mala. Cuando llega el ascensor, oyes algo parecido a una bofetada procedente del apartamento de tu amiga, un sonido de cuero contra la piel desnuda, seguido inmediatamente de un grito de Melissa, y enseguida te das cuenta de que es un grito de placer, no de dolor. Y vuelves a sonreír. ¡Menuda fresca!

* * *

Es hora de volver a casa y dar un repaso a tus aventuras.
Aunque quizá deberías pasar a ver si la cafetería de tu
barrio está todavía abierta...

 Si te vas directa a casa, ve a la página 258

 Si pasas por la cafetería de tu barrio que está abierta hasta tarde antes de ir a casa, ve a la página 283

Has decidido irte a casa y disfrutar de Mr. Rabbit

Por fin estás en el vestíbulo de tu edificio. Es tarde y los pies te están matando. Aunque los tacones son muy sexys, todo tiene su precio.

Hay un montón de cajas de cartón desperdigadas en el suelo delante del ascensor, pero no ves a nadie. Sientes curiosidad por saber quién puede estar moviendo cajas a estas horas de la mañana, así que levantas una de las lengüetas de una de las cajas y echas un vistazo dentro. Está llena de libros. No puedes resistirte a la tentación: sacas uno y, cuando estás leyendo la contraportada, el ascensor se abre con un tintineo y sale un hombre. Os miráis durante un segundo y él dice:

—Hola. No esperaba encontrarme con una ladrona de libros a estas horas.

Avergonzada, sueltas el libro y retiras la mano, como si te hubiera pasado la corriente.

—No pensaba cogerlo —aclaras, sonrojándote.

—¿No? —dice—. Pues parece justo lo contrario.

Luego sonríe y entiendes que te está tomando el pelo.

—Ya que estás aquí, ¿te importaría aguantarme la puerta del ascensor un momentito? —pregunta, y eso haces mientras él coge las dos cajas que están encima del montón. No puedes evitar mirarlo con detenimiento cuando se agacha. Los músculos de los brazos bajo la camisa de cuadros se flexionan cuando levanta los bultos. Es alto y tiene un pelo negro y enmarañado un centímetro demasiado largo, gafas de montura negra y la sombra de una barba incipiente. No es el clásico guapo, pero hay algo atractivo en su sonrisa ligeramente sesgada.

—¿A quién se le ocurre mudarse a las cuatro de la mañana? —comenta mientras deja las cajas en el ascensor y vuelve a por las otras dos.

—Eso mismo me preguntaba yo. Moviendo cajas a hurtadillas a estas horas…, o eres un fugitivo de la policía o eres un testigo protegido.

—Maldita sea, me has descubierto —dice mientras carga las últimas dos cajas en el ascensor—. De hecho, me he mudado hace tres días. Esto es lo que queda de mis cosas… Han llegado esta tarde. Aunque, de haber sabido lo que pesaban, quizás habría prescindido de ellas.

—Y ¿has esperado hasta las cuatro de la mañana para trasladarlas?

—Soy escritor, de modo que soy un experto en dejar las cosas para luego. He estado trabajando hasta tarde y esperaba que, si las dejaba aquí abajo el tiempo suficiente, a lo mejor les salían patas y subían ellas solas. O quizás alguien me las robaría. Si no hubiera bajado ahora mismo, igual me habrías ayudado con esta última opción.

Los dos alargáis el dedo a la vez para pulsar el botón de la sexta planta y vuestras manos se rozan. Es como si de repente hubieras recibido una pequeña descarga, aunque agradable.

El ascensor se abre con un tintineo en la sexta planta y él te invita con un gesto a que salgas primero.

—No, no te preocupes —dices, apoyándote contra la puerta—. Yo la aguanto para que puedas sacar tus cosas. —Sabes perfectamente que tus razones no son del todo inocentes: en parte, le estás ofreciendo tu ayuda para poder fijarte en él durante unos minutos más mientras descarga las cajas.

—¿Te has divertido esta noche? —pregunta mientras pasa junto a ti.

—No ha estado mal —respondes—. Aunque me alegra estar ya en casa. —El pasillo está sembrado de más cajas—. ¿Así que somos vecinos? —comentas, cayendo en la obviedad.

—Apartamento seiscientos diez —dice, y deja la caja en el suelo para sacar una llave del bolsillo y enseñártela.

—Apartamento seiscientos uno —respondes, buscando tus llaves en el bolso.

—Oye, a lo mejor podrías enseñarme el barrio algún día —dice, mientras saca la última caja—. Me han dicho que hay una cafetería fantástica al final de la calle.

Te quedas agradablemente sorprendida. ¿Te está invitando a salir? Quizá sí.

—Sí, es muy buena. Preparan un chocolate caliente fantástico —dices.

—Yo soy más de café, pero me encanta probar cosas nuevas, aunque sólo sea una vez. Así que, venga, chocolate caliente para mí. Es lo menos que puedo hacer para agradecerte tu ayuda con el ascensor. ¿Qué te parece mañana por la noche?

Finges pensarlo, como si consultaras una agenda imaginaria en tu cabeza, mientras por dentro gritas: «¡Sí, quiero lamer tu cuerpo cubierto de chocolate caliente con una ración extra de nata montada!» Asientes con la cabeza, cortésmente:

—Gracias, me parece un buen plan. —Luego te despides haciendo un gesto con la mano y te diriges hacia tu puerta. Te las ingenias para introducir la llave en la cerradura, a pesar de que te tiemblan un poco las manos. Justo antes de deslizarte dentro, te vuelves y lo ves de pie, observándote, con esa sonrisa sesgada en la cara que lo caracteriza.

* * *

Por fin en casa. Ha sido una noche extraña. Toda esa tensión sexual y todos esos falsos comienzos te han dejado un desasosiego que te recorre el cuerpo de la cabeza a los pies: necesitas aliviarte de forma desesperada.

Lo primero que haces es quitarte los zapatos y dejarlos caer al suelo. Después te sacas el vestido, el sujetador y el tanga mientras te paseas por el apartamento.

Cuando llegas a tu cuarto, ya estás desnuda del todo, y sientes cómo se te endurecen los pezones y se te erizan los pechos cuando el aire fresco de la primera hora de la mañana se desliza sobre tu piel. Empiezas por acariciarte el cuello, entre los pechos, el vientre, y deslizas los dedos entre las piernas: estás caliente y mojada. Por un momento, piensas si entretenerte ahí, pero antes quieres refrescarte y ponerte cómoda. Necesitas sacarte la noche de encima con una buena ducha.

Dejas correr el agua de la ducha hasta que sale todo lo caliente que eres capaz de soportar y luego dejas que te caiga sobre la coronilla y te baje por la cara mientras te enjabonas todo el cuerpo hasta cubrirlo de espuma.

Cuando por fin sales del cuarto de baño, tras una larga ducha sin prisas, te envuelves en tu toalla más gruesa, absorbente y deliciosa.

Te cepillas los dientes, te frotas el pelo para secártelo y te das loción corporal por todo el cuerpo. Luego recorres desnuda el apartamento, apagando todas las luces a tu paso. Por fin, te acuestas, disfrutando de la sensación de las sábanas limpias y planchadas contra tu piel desnuda. Cuando termina el día, no hay nada más maravilloso que tu propia cama.

Se te acelera el corazón en el pecho cuando abres el cajón de la mesita de noche. Hay algo realmente morboso en un vibrador. Pequeñas oleadas de anticipación del gozo te recorren el coño cuando lo sacas del cajón y desgarras su voluminoso envoltorio.

Mr. Rabbit es de un precioso color rosa y tiene la forma de un generoso pene. La única diferencia es la pequeña protuberancia que asoma a un lado del rabo, en la base. Es la primera vez que ves este diseño en un vibrador. En el extremo, hay dos pequeños capullos que asoman, como si fueran un par de orejas de conejo. Las tocas con el dedo y se doblan bajo tu contacto. Coges entonces el envoltorio e intentas entender para qué sirven supuestamente las pequeñas orejas. Según el folleto que acompaña al vibrador (con instrucciones en francés, japonés e inglés), son estimuladores del clítoris.

El mango encaja cómodamente en tu mano y, justo encima de tu pulgar, tiene cuatro pequeños botones con distintas potencias. Pulsas el primero y el artilugio vibra suavemente contra tu palma, provocándote un estremecimiento.

No puedes seguir soportando el suspense: durante toda la noche, has sido objeto de un deseo sexual exacerbado, los juegos y la seducción, y tu cuerpo ansía encontrar un poco de alivio. Sientes la humedad brotando de ti, mojándote los muslos cuando deslizas a Mr. Rabbit debajo de las sábanas y te lo pasas por el pecho en el modo de vibración más suave, deslizando la punta de la polla primero por un pezón y después por el otro. Te retuerces de placer mientras sigues deslizándolo hacia abajo por el estómago y sobre tu monte de Venus.

Entonces, se te acelera un poco la respiración en cuanto te pones la punta del vibrador en la parte superior del coño y dejas que los suaves temblores te estimulen el clítoris. Sueltas un pequeño gemido y lo desplazas levemente a un lado: es demasiado intenso para tenerlo tocándote el clítoris sin parar y todavía no quieres correrte.

Todo lo despacio que tu ávido cuerpo lo permite, vas pasándote el vibrador por la raja, arriba y abajo, hasta que se desliza y se adentra en tu humedad. Luego, por fin, doblas las rodillas y arqueas la espalda mientras buscas tu abertura y lo metes fácilmente y sin esfuerzo en tu vagina. Usas la mano para empujarlo tanto como quieres y vuelves a sacarlo un poco. Repites la acción, y, a medida que introduces el vibrador más adentro, sientes una sensación totalmente nueva cuando las orejas del conejo te masajean el clítoris cada vez que mueves la mano.

De pronto, tu nuevo vecino aparece en tu cabeza e imaginas que es él el que está dentro de ti, con sus musculosos brazos apuntalados a ambos lados de tu cuerpo, soportando su peso mientras cabalga sobre ti, despacio primero y cada vez más fuerte y más rápido después, y visualizas su sonrisa sesgada, y sientes sus dedos en el clítoris al tiempo que vuelves a reposar la cabeza en la almohada.

Anhelas sensaciones más intensas y pulsas el segundo botón con el pulgar. La potencia aumenta un grado, y la polla vibra con más intensidad, aunque no te resulta suficiente. Te saltas el tercer nivel, y pasas directamente al más potente.

Inclinas la pelvis hacia arriba para salir a su encuentro cada vez que te lo clavas en el coño, sintiendo cómo vibra en tu vagina hasta que gimes a voz en grito y te encorvas, cerrando con fuerza los ojos, jadeando, sintiendo que se acerca el orgasmo como un tren desbocado, y sabes entonces que ya no hay forma de parar. Se te encogen los dedos de los pies y sientes que todo tu cuerpo se agita, rindiéndose primero a un orgasmo, y, luego, manteniendo a Mr. Rabbit en funcionamiento, a otro. Son tan intensos que pones los pies sobre la cama y te apuntalas contra el colchón a medida que la energía te recorre por completo.

Y entonces, absoluta y completamente exhausta, con el pelo mojado refrescándote el cuello caliente sobre la almohada, vas pulsando despacio un botón tras otro, pasando con el pulgar del nivel cuatro al uno hasta apagarlo del todo, y por fin sueltas a tu nuevo mejor amigo. Desperezas el cuerpo, liberándolo y disfrutando de los espasmos. Acto seguido, te tumbas de lado, a punto de abandonarte al sueño con un suspiro de satisfacción. La vida es bella. De hecho, no puede serlo más.

UNA CHICA ASISTE A UNA BODA

*Cuando una antigua compañera de escuela
decide casarse te toca ser dama de honor
por enésima vez. Pero si juegas bien tus cartas
no sólo la novia se lo pasará en grande...*

¿Te apetecería
escabullirte detrás de la carpa del banquete
para darte el lote con el irresistible padrino
de boda que necesita que alguien
«le ayude» con su discurso?

¿Masturbarte de distintas maneras pensando
en el atractivo pinchadiscos que destila
sexualidad por todos los poros?

¿O cuando el buenorro organizador de la boda
te coma el chocho, y te corras en su boca,
será cuando descubras que tiene talentos
más impresionantes que poner paz
entre los parientes políticos?

¿Te atreves a elegir la experiencia sexual suprema?

El poder es sólo *tuyo*.

Mantente al día en

www.unachicaasisteaunaboda.com

Helena S. Paige es el seudónimo de tres amigas. Nick Paige, galardonada creativa publicitaria y novelista. Escribe también una columna semanal en *The Sunday Times* en la que toca todo tipo de temas. Desde la sexualidad y las citas amorosas hasta la locura. Helen Moffet tiene múltiples intereses. Es escritora, poeta, editora, activista y profesora. Ha impartido conferencias en lugares tan distantes entre sí como Trinidad y Alaska. También escribe sobre cricket y es fan del flamenco. Sarah Lotz es guionista y novelista. Le gustan los nombres falsos. Escribe, con Louis Greenberg, novelas de horror urbanas con el seudónimo S.L. Grey, y novelas para jóvenes adultos con su hija Savannah bajo el seudónimo Lily Herne.

Bajo el nombre de Helena S. Paige, estas tres mujeres han creado la divertida y excitante serie «Elige tu propia aventura… *hot!*, en la que lectoras y lectores configuran su propia experiencia. Y en la que todo el mundo tiene garantizado un final feliz.